한국수입협회 창립 50주년 기념 에세이집

1달러에 영혼을 담아!

KOIMA 한국수입협회
Korea Importers Association

'다이나믹 코리아'

우리는 2009년 OECD 산하의 개발원조위원회(DAC) 회원국으로 가입하여 명실상부한 '공여국 클럽'의 일원이 됩니다. 이는 세계에서 유일하게 도움을 받던 나라에서 도움을 주는 나라로 발전한 사례입니다.

전후의 폐허에서 아무 것도 없이 시작한 대한민국이 파란만장한 파고를 넘어 고도 경제성장을 이룰 수 있었던 배경에는 자유무역주의가 있습니다. 1947년에 체결한 GATT(관세 및 무역에 관한 일반협정)를 시작으로 도쿄라운드, 우루과이라운드를 거쳐 1995년 127개국이 참여하여 출범한 WTO(세계무역기구) 체제하에서 국가와 기업 그리고 온 국민이 힘을 합쳐서 오늘날 수출 6위, 수입 9위, 통상규모 10위권의 무역강국을 만들었습니다. 기적은 우연히 만들어지는 것이 아닙니다.

그 도전과 영광의 길에 묵묵히 수출 대한민국을 지원하며 궤적을 같이 해온 한국수입협회가 어느덧 창립 50주년을 맞이했습니다.

K-Import. 세계를 품는 무역강국으로 한 단계 더 성장하기 위해서는 수출을 더 잘하기 위한 스마트한 수입전략이 절실합니다. 대한민국의 미래를 위한 한국수입협회의 향후 50년의 장도에 시선이 쏠리는 이유이기도 합니다.

이제는 전 세계 어느 국가에서도 한국 상품에 대한 브랜드 인지도와 프리미엄이 더 이상 낯설지 않지만 그 과정은 치열했습니다.

일교차가 섭씨 30도를 넘나드는 출장길, 신변의 위협을 감수하던, 영어가 통하지 않아 엉터리 통역에 답답해하던, 낯선 기차역이나 공항에서 또 때로는 부두에서 속절없이 밤을 지새우며 애를 태우던, 세계적인 엔지니어와 국내 대기업 공학박사들 사이에서 비전공자로서 미팅을 주선하고 이끌어가며 진땀을 흘리던, 격조 높고 품위 있는 해외 거래선의 문화를 부러워하던, 생김은 다르지만 가족 같고 형제 같아 대를 이어 함께 하고픈 파트너를 만났던... 셀 수 없이 많은 아슬아슬하고 가슴 벅찬 기억들이 떠오릅니다.

글로벌 펜데믹 상황에서 세계경제가 어려움을 겪고 있지만 향후 50년은 디지털 혁명으로 인하여 모든 기업에 디지털 전환을 통한 끊임없는 변화와 혁신이 요구될 것입니다. 지난날 산업 전 분야에 걸쳐서 첨병 역할을 감당해왔던 우리 회원 여러분 모두도 새로운 환경에 잘 적응해서 꼭 번영을 이루시길 바랍니다.

협회 창립 당시 발기인으로서 협회 창립에 지대한 공헌을 하신 김창송 편찬위원장님의 제안과 열정이 있었기에 본 에세이집이 세상에 빛을 볼 수 있었습니다. 김창송 편찬위원장님과 편찬위원님들께 특별한 감사를 드립니다. 또한 대사님을 포함하여 기꺼이 글을 보내주신 모든 분들과 에세이 편찬을 위해 수고하신 협회 임직원과 출판사 관계자분들께도 감사드립니다.

한국수입협회

회장 홍 광 희

Contents

※ 에세이 원고는 가나다 순 기준으로 게재하였습니다.

1달러 무역의 뒤안길

김 창 송 | 성원교역㈜ 회장

KOIMA 50년사 편찬위원장

그때 그날 아침도 새벽 눈이 소리 없이 부슬부슬 내리고 있었다.

광화문 네거리는 여전히 꼬리에 꼬리를 무는 차량들로 북새통을 이루고 있었다.

태림무역(泰林貿易)의 신대근(申大根) 사장과 함께 나는 상공부의 민원 접수대 앞에서 신청서 보따리를 들고 차례를 기다리고 있었다. 벌써 이렇게 줄 서서 기다리기가 몇 번이었는지 기억도 아스라하다.

젊은 담당자가 우리의 신청서를 이리저리 훑어보다가 거친 말투로 나를 보며 “여기는 왜 서명이 빠졌어요? 다시 보완해서 내세요!”

매정한 젊은 창구 직원은 쳐다보지도 않고 서류를 내던졌다.

너무나 울화통이 터졌다.

지성이면 감천이라 했던가.
눈 내리던 날 오후, 기다리고 기다리던 상공부
당국의 승낙서를 받았다. 눈물겹도록 기다리던
서류 한 장. 어찌 그날의 감회를 잊을 것인가.

이렇게 마음병을 몇 날 며칠 앓고 있던 그 어느 날! 지성이면 감천이라 했던가.

눈 내리던 날 오후, 기다리고 기다리던 상공부 당국의 승낙서를 받았다. 눈물겹도록 기다리던 서류 한 장. 어찌 그날의 감회를 잊을 것인가.

(상공허가 제157호 사단법인 설립허가증)
주소 : 서울특별시
명칭 : 한국수출입오파협회
대표 : 신대근
민법 제32호의 규정에 의하여 위 법인의 설립을 다음 조건부로 허가함.
상공부 장관

충무로 어느 건물의 2층에 있던 신대근 사장의 사무실에는 낯선 간판이 걸렸다.

"한국수출입오파협회"

발기인은 물론 임직원 모두가 감격의 환호를 올렸다.

제1회 최고경영자세미나 기념사진(1989. 7. 19 ~ 22 회원사 대표)

회장단을 비롯하여 모두가 하나가 되어 새집을 짓기 시작했다.

그 후 어느 해인가 새해 총회 자리에서 "우리 협회에도 연수원을 만들어 교육 프로그램을 진행하면 어떠한가"라고 제안을 했다. 그때 사회자가 회중에 물어보니 만장일치로 가결되었다. 그 후 임원회에서 당일 제안자인 내가 그 원장직을 맡는 것이 좋다고 하여 이 또한 가결이 되었다.

그 당시 나는 한국능률협회, 한국생산성본부, 한국무역협회 등에서 실시하는 아침 경영자 조찬회에 다니고 있었다.

우리 협회의 연수원은 선발 연수원보다 더욱 생산적이고 격상된 알찬 내용으로 꾸며 보기 위해 국내는 물론 일본서점에도 찾아가며 열성을 다

제1회 최고경영자세미나 기념사진(1989. 7. 19 ~ 22 배우자)

했다.

드디어 우리 협회 연수원 개원식이 시작되었다.

그날의 뜻 깊은 현판식은 오늘에 이르기까지의 내 생애에 큰 길잡이가 되었다.

개원식 강사로는 이한빈 전 스위스 대사를 모셨다. 앞으로 우리 협회의 주 강사로 단상에 서려면 무엇보다도 최고의 인격자가 되어야 한다는 욕심이 있었다.

지난 주말에 나는 그 옛날 추억을 찾아 강원도 낙산비치호텔을 찾았다. 1989년 7월 19일부터 22일까지 3박 4일간의 부부동반 제1회 최고경

영자세미나 기념사진을 찾아보았다. 무게감이 넘치는 회색 유니폼의 우리 젊은 사장님들과 화사한 분홍색 유니폼의 아름다운 사모님들이 함께 한 역사의 순간들.

산천은 그대로인데 어느덧 세월의 무게는 피할 길이 없어라.

당시의 우리 형제들은 추억 속에 그립기만 하다.

지난 험난한 시간들 묵묵히 지나 오늘 이렇게 창립 50돌 잔치를 맞게 되었다.

역대 회장님들은 물론 우리 회원님들 모두 환희의 송가를 부릅시다.

지구촌은 하나입니다. 우리 모두가 한 가족입니다.

모래사장을 거닐며 북녘 하늘을 바라보니 고인이 되었지만 화사한 웃음을 띤 신대근 회장의 그때 그 모습이 떠오른다.

종합상사의 추억

권 병 민 | 아틱스엔지니어링㈜ 대표이사

KOIMA 부회장

우리나라는 식량, 원유, 철광석 등 국가경제 유지와 국민의 생존에 필수적인 거의 모든 자원이 부족한 열악한 환경을 가진 나라다. 그래서 국가를 유지하기 위해서는 무조건 제품을 해외에 팔아서 외화를 벌어들여야 했고, 수출 100억불, 국민소득 1천불을 주문처럼 외우면서 밤을 낮 삼아 일하며 만든 제품을 전세계에 내다 파는데 모든 노력을 쏟았다. 그 결과 1977년 수출이 100억불을 넘었고, 뒤이어 국민소득도 1천불을 넘었다. 전쟁으로 폐허가 된 나라가 25년 만에 이뤄낸 전무후무한 기록이고 기적이었다.

그 기적 같은 경제성장의 주역들 중에 종합상사가 있었다. 국가가 지정한 조건을 만족하는 8개의 업체를 종합상사로 지정하고 많은 특혜를 주면서 수출을 장려했는데, 종합상사는 일본과 한국에만 있었던 독특한 형태의 무역 전문회사라고 할 수 있다. 수년 전 드라마 미생을 통해서 많은 사람들이 종합상사라는 회사와 상사맨들의 전쟁 같은 수출경쟁을 흥미롭게 시청하기도 했었다.

70~80년대 멋진 007가방을 들고 전세계를 누비는 상사맨들은 직장인의 꽃이고 많은 젊은이들의 선망의 대상이었으며, 실제로도 종합상사는 인재들의 집합소라 할만 했다. 공대 기계과 졸업 후 나는 훌륭한 자동차 엔지니어가 될 거라는 꿈을 갖고 자동차회사 연구소에 취업하여 엔진을 개발하는 일을 하게 됐는데, 일년쯤 후에 같은 공대를 졸업하고 종합상사에 취업한 친구를 만나서 상사맨의 생활에 대한 얘기를 들어보니 가슴이 뛰고 이게 바로 내가 하고 싶었던 일이라는 생각이 들었다. 종합상사에 대한 단순한 동경이 아니라 내 맘속에 잠자고 있던 상사맨의 유전자가 잠을 깬 것 같은 느낌이었다. 나는 그렇게 삼성물산으로 이직을 했고 드디어 상사맨이 되었다.

종합상사는 새로운 시장을 개척해서 선점하는 것이 가장 중요하기 때문에 낯선 곳에 출장을 가는 일이 잦다. 자동차와 플랜트를 수출하는 업무를 했던 나도 들어본 적이 없는 나라에 출장 가는 일이 가끔 있었는데, 그 중에 하나가 투르크메니스탄이라는 나라였다. 투르크메니스탄은 소련이 붕괴되고 독립한 15개 공화국 중에 하나로, 쿠웨이트에 비교되는 산유국이다. 인구는 5백만 정도인데, 원유 생산이 많아서 국민들에게 기름을 무상으로 공급하는 신기한 나라였다. 나는 그 나라에 자동차와 자동차부품을 수출해보려고 출장을 가게 되었는데, 한국인 중 내 비자 발급번호가 10번 이내일 정도로 우리나라와는 거래가 없었던 나라였다. 1993년 중반에 나는 투르크메니스탄에 처음으로 출장을 가게 되었다. 한국이라는 나라가 어디에 있는지도 잘 모르는 수입상 사장에게 우리나라 K산업에서 생산하는 자동차를 수출하기 위해서 열심히 상담을 했다.

지금이야 우리나라가 독자적인 자동차 모델을 개발하고 생산하지만, 당시만 해도 일본 자동차회사와 라이선스 계약을 통해서 같은 모델을 생산하는 회사가 많았는데, 그런 여건이 오히려 수출에는 좋은 조건이 되는 경우가 많았다. 왜냐하면 일본 자동차와 같은 모델을 훨씬 낮은 가격으로 팔 수 있었기 때문이다. 일본 자동차를 수입하고 싶었던 자동차 수입상 사장에게 당시에 K산업이 생산하고 있던 같은 모델의 중형 승용차를 소개했다. 일본에서 생산된 자동차와 기술적으로 차이가 없다는 걸 2년 동안의 엔진설계 업무의 경험을 살려 이틀 동안 열심히 설명했다. 처음엔 부정적이던 수입상 사장이 조금씩 맘이 바뀌기 시작하더니, 사흘째 되는 날 나를 자기 별장으로 초대했다. 설레는 마음으로 갔더니 양 한 마리를 잡아서 융숭하게 접대를 하면서 하루 종일 자기가 살아온 얘기, 회사 자랑 등 딴 얘기만 했다. 저녁 때, 먼 곳까지 출장을 와서 고맙다는 인사를 하는데, 나는 이번 건은 틀렸다고 생각했다. 왜냐하면 고객이 와줘서 고맙다고 말하는 건 이번에는 오더가 없다는 뜻이라는 걸 경험적으로 알기 때문이다.

그런데 천만뜻밖에도 일단 100대를 수입해보기로 했다고 했다. 투르크메니스탄이라는 낯선 나라에 우리나라에서 처음으로 자동차를 수출할 수 있다는 생각에 가슴이 두근두근했다. 다음날 견적을 갖고 사무실로 오라고 했다. 호텔로 돌아와서 밤새 여기저기 연락하면서 계산기를 두드려서 견적을 준비해서 다음날 아침에 수입상 사장을 만나러 갔다. 100대에 130만 불, 일본 자동차 보다 좋은 가격이었다. 사장이 가격은 그대로 하되 6개월 외상을 달라고 했다. 아무리 일본 자동차와 같은 모델이라도 팔리는지 안 팔리는지 잘 모르는 상태에서 무조건 돈을 지불하고 수입할 수는 없다는 거였다. 일리가 있는 말이었고 달리 협상할 대안도 없어서 일단 수용하기로 하고, 외상은 보증이 필요하다고 했더니 투르크메니스탄 중앙은행이 발행하는 지급보증서를 주겠다고 했다. 우리나라로 치면 한국은행이 발행하는 거니까 그 이상의 보증은 불가능할 것 같아서 일단 그 조건으로 계약을 했다. 일단 수주는 했지만 돌아가서 경영진 결재를 받지 못하면 다 물거품이 되는 거라 아침에 두근두근했던 마음은 다 사라지고 걱정만 태산이었다. 그렇지만 상사맨에게 아무 걱정거리 없는 계약은 거의 없었고, 여하간 130만 불 계약을 한 거니까 일단 기분은 최고였다.

돌아와서 심사팀 등 관련부서에 조회를 하니까 아무리 후진국이라도 국영 중앙은행이 발행한 보증서는 국가보증과 동급이기 때문에 진짜 투르크메니스탄 중앙은행이 발행한 보증서를 갖고 오면 외상을 줘도 된다고 했다. 그런데 실제 열흘쯤 후에 진짜 보증서가 왔고, 회사에서도 유

수많은 문제들을 해결하면서 느꼈던 작은 희열들에
대한 중독은 그 문제를 반드시 해결하겠다는
전투욕이 앞서는 묘한 부작용(?)을 유발했고,
그런 경험들이 나중에는 세상에는 해결이
불가능한 문제는 없다는 긍정적인 마인드를
갖도록 나를 훈련시켰다.

효하다는 판정을 받았다. 이제 첫 관문을 통과했고, 그 다음은 메이커인 K산업에서 오퍼를 받아야 했는데 이게 만만치 않았다. 왜냐하면 자동차는 기본적으로 메이커가 직접 수출을 하고 아주 특별한 경우에만 종합상사를 통해서 수출을 하기 때문이었다. 더구나 당시 K산업은 삼성그룹에 피인수설이 파다해서 이유 없이 삼성에는 적대적인 직원들이 많아서 걱정이었다. 그런데 걱정이 현실이 되었다. K산업에는 아시아태평양, 유럽, 미주를 각각 담당하는 3개 수출부서가 있었는데, 투르크메니스탄은 수출한 적은 없지만 아시아지역을 담당하는 1팀 관할인데, 담당 팀장이 삼성하고는 거래를 안 한다고 했다. 자기네가 가본 적도 없는 시장을 개척해서 100대를 주문하겠다는데 무조건 싫다는 거였다. 아무리 설득해도 막무가내였는데, 눈앞이 캄캄했다. 대리점을 통해서 한대씩 사서 보내야 하나, 별 생각을 다해봤다. 고민을 거듭하던 중, 투르크메니스탄이 유럽과 아시아 중간에 있는 나라라는 생각이 들어서 밑져야 본전이라는 생각에서 유럽을 담당한다는 수출2팀을 한번 만나보기로 했다. 팀장이 출장 중이라 선임과장을 만나서 투르크메니스탄에 수출계약을 했다는 걸 설명하고 삼성물산이 현지에 영업력이 막강하다고 약간 허세를 부리고 자랑을 하면서 앞으로 러시아의 중앙아시아 지역을 같이 개척해보자고 제안을 했다. 내가 K산업 연구소 출신이니 앞으로 후배로 대해달라고 하면서 점심도 얻어 먹으면서 일단 친근감을 얻으려고 노력했다. 유럽 주재원을 나갔다가 왔다는 그 과장은 아주 세련된 매너를 가진 전형적인 비즈니스맨이었다. 나이가 한참 어린 나를 오지의 시장을 개척하는 훌륭한 상사맨이라고 진심으로 존중하면서, 본인은 이번 수출 건을 진행하고 싶은데 팀장 결재를 받아야 하니 팀장이 출장에서 돌아오면 다시 보자고 했다. 자기네 지역이 아니라고 시큰둥할 수도 있는 사람이 너무도 적극적으로 호응을 해주니까 솔직히 눈물이 날 정도로 고마웠다. 그날 그 회사 정문을 나와서 우리회사로 돌아오는 길이 마치 구름을 타고 오는 것 같았다. 약속대로 그 다음주에 팀장을 만나서 견적을 받고 진행을 하기로 했다. 그 정도 진행이 되니까 처음엔 K산업에서 차를 주겠냐는 표정으로 시큰둥했던 우리 부장님도 일이 진행될 거 같으니까 사업부 실적보고에 자동차 수출 건을 포함시키면서 오지를 개척했다고 자랑을 했다.

일이 풀리니까 더 좋은 일이 생겼다. K산업에서 유럽에 수출하려던 같은 모델의 자동차 계약이 취소되는 바람에 바로 선적을 해줄 수가 있는데 색상이 우리가 원하는 흰색이 아니고 검정이라고 했다. 내가 색상 때문에 안 되겠다고 했더니, 만일 그 재고 차량을 가져가면 천불 정도 할인을 해주겠다고 제안을 했다. 그 정도면 투르크메니스탄 수입상 사장하고 협상을 해볼만하다는 생각이 들었다. 색상은 다르지만 납기가 훨씬 짧고 가격을 깎아준다고 하면 받아들일 수도 있기 때문이다. 그래서 그날 밤에 투르크메니스탄 사장하고 통화를 해서 설명을 했더니 가격을 깎아주면 검정색도 괜찮다고 했다. 그래서 500불을 깎아주기로 하고 계약조건을 흰색에서 검정색으로 변경했다. 100대니까 50,000불이 추가로 남게 된 거였다. 메이커 오퍼를 못 받아서 계약이 취소될 수도 있었던 건이 당초 예상보다 더 많은 이익을 내게 된 거였다.

K산업과 수출계약을 하고, 자금을 조달하기 위해서 여러 해외지점과 협의한 결과 금리가 가장 낮은 독일지점에서 메이커에 결제할 자금을 차입하기로 했다. 자금조달 방법이 확정된 후에 사업부장 결재를 받아서 선적을 진행했는데, 운송업체도 처음 보내는 지역이라 작은 시행착오를 많이 겪었다. 그렇지만 출장을 다녀온 지 3개월 만에 우리나라 승용차 100대가 역사상 처음으로 투르크메니스탄에 도착했고, 그로부터 6개월 후에 계약대로 우리회사로 130만 불이 송금되었다. 삼성물산 역사상 유례가 거의 없는 오지에 대한 큰 금액의 외상거래가 무사히 끝난 것이었는데, 그 희열은 그 거래를 직접 한 상사맨이 아니면 이해하기 어려운 약간은 중독성이 있는 경험이 아닐까 생각된다. 그때 우리회사에는 그런 중독자들이 많았고, 다른 종합상사에도 그랬을 거라고 생각한다. 나는 그 중에서도 중증의 중독자였다.

종합상사에 7년 정도 근무하는 동안 겪었던 수많은 문제들을 해결하면서 느꼈던 작은 희열들에 대한 중독은 문제가 생겼을 때 걱정 보다는 그 문제를 반드시 해결하겠다는 전투욕이 앞서는 묘한 부작용(?)을 유발했고, 그런 경험들이 나중에는 세상에는 해결이 불가능한 문제는 없다는 긍정적인 마인드를 갖도록 나를 훈련시켰다. 그리고 그 자신감 하나로 서른 다섯에 겁 없이 창업을 했다. 우리나라 산업화의 역사는 수출에서 번 외화로 기계를 사오고 그 기계로 만든 제품을 다시 수출해서 더 큰 많은 외화를 벌어오는 확대 재생산의 반복이었다. 그리고 그 중심에는 종합상사가 있었다. 그 멋진 종합상사에 내가 몇 년간 몸담을 수 있었다는 건 내겐 큰 행운이었고 자랑이다. 나는 종합상사에서 좌충우돌하면서 배우고 겪은 경험들을 후배들과 가능한 많이 공유하려고 늘 노력을 하고 있다. 특히 수입협회를 통해서 많은 후배 기업인들과 교류하면서 그들과 그동안 내가 경험한 많은 것들을 공유하기 위해서 이번 21대 회장단에 기꺼이 동참하고 있다. 21대 회장단의 일원으로 활동하는 이 시간도 훗날 내게 큰 행운이고 자랑이 될 것임을 믿어 의심치 않는다.

한 조각의 꿈이 무지갯빛으로

기무요시코 | 로라세이드코리아㈜ 대표이사

KOIMA 이사

인연!

낯선 한국 생활. 거기에 회사를 덜컥 설립해 놓고 매일같이 어떤 제품을 가지고 사업을 할지 걱정이 태산이었다. 그때 인생의 변곡점이 되어줄 소중한 인연이 다가왔다. 구원의 손길처럼 한국수입협회 CEO 합창단의 부단장님 소개로 합창단의 일원이 되는 뜻밖의 기회가 온 것이다. 이렇게 맺어진 한국수입협회와 협회 CEO 합창단 회원들은 지금까지 함께하고 있는 소중한 인연이 되었다.

한국수입협회의 선배 회원들을 만나 그분들은 어떻게 사업을 하는지 이야기를 귀담아듣고, 노하우를 배울 귀중한 기회를 많이 가질 수 있었다. 중소기업을 운영하는 대표님들의 제품을 보면서 아이디어를 떠올리고 나에게 맞는 제품을 찾고자 애를 썼다.

로라세이드코리아 주식회사는 설립된 지 6년밖에 되지 않은 신생 기업이다. 해외에서 30년 동안 생활을 하다가 우연한 기회에 한국에 오게 되었고, 해외에서 살았던 경험을 바탕으로 수출입업을 해봐야겠다는 어쩌면 무모하기 짝이 없는 결정을 하였던 것이다. 그러나 외국에서 오래 살다 와보니 한국이 너무 많이 달라졌고, 사회 분위기도 달라서 이를 극복하기가 쉽지 않았고 적응하기 또한 힘이 들었다. 한국의 관념이나 규범을 하나하나 알아 가는 데 3년은 걸린 것 같았다.

그 와중에 큰 위로가 된 것은 따뜻한 마음으로 언제나 웃으면서 대해주고 안부를 물어주는 수입협회 CEO 합창단 단원들이었다. 노래를 좋아하기는 하지만 잘 부르지 못하는 나는 합창이 좋고 함께 하는 것이 좋아서 그냥 결석만 하지 말자 하는 마음으로 활동한 것이 어느새 6년이 지났다. 일 년 동안 노력한 결과를 발표하는 연중발표회 때에는 왠지 모

그러나 큰 착각이었다. 혼자 상상의 날개를
펼치면서 금방 부자가 된 것 같은 기대로 기뻐
했지만, 현실로 돌아와서는 그것이 얼마나
부질없는 생각이었는지 알게 되었다.

를 성취감으로 뿌듯했고 나이가 들어도 취미를 가지고 열심히 살아간다는 자부심도 갖게 되었다.

또한 한국에 친구가 없었는데 단원들과 합창 연습하는 시간이 즐거운 활력소가 되고 일주일에 한 번씩 만나다 보니 이제는 안 보면 보고 싶은 가족이 되었다. 협회의 울타리로 엮어진 새로운 인연이 너무 소중하고, 감사함을 느낀다.

시행착오의 교훈

로라세이드코리아 주식회사는 블라인드와 커튼, 부속품을 제조 및 수출입을 하는 회사이다. 6년 전 중국과의 교역이 최고조에 달할 때 중국에서 수입할 것도 찾고 수출도 가능한 제품이 있을까 고민하던 차에 중소기업 대표들과 중국에 갈 기회가 생겼다.

후룽베이얼시를 방문해 보니 대부분의 아파트 입주민들이 커튼이나 블라인드가 없이 생활하는 것을 보고 놀랐다. 그때는 일본에서도 블라인드보다는 커튼을 많이 사용하고 미국 캘리포니아, 중동 두바이, 동남아

시아도 블라인드를 한국보다 많이 사용하고 있지 않았기 때문에 블라인드 시장이 매우 커 보였다. 마음속으로 블라인드를 팔면 대박이려니 생각을 했다. 그러나 큰 착각이었다.

혼자 상상의 날개를 펼치면서 금방 부자가 된 것 같은 기대로 기뻐했지만, 현실로 돌아와서는 그것이 얼마나 부질없는 생각이었는지 알게 되었다. 중국은 값싼 제품을 무기로 전 세계 수출 시장을 잠식하고 있었고, 국내는 경쟁사들끼리 가격 인하 경쟁으로 사양산업이 되고 있었다.

그런 것도 모르고 블라인드 시장에 뛰어든 것이 후회막심이었으나 이런 와중에도 틈새시장이 있을 거라는 한 가닥 희망을 갖고 있었다. 해외에 출장을 다니면서 마케팅을 하고 국내 영업도 자동화 시대에 걸맞게 전동 IOT 모터를 블라인드에 적용한 전동 블라인드를 개발하였다. 또한 업그레이드해서 대형 건물이나 고급 주택을 타깃으로 대형 창호에는 전동 블라인드가 어울린다는 점을 집중 공략하고, 경쟁업체가 많아도 공장에서 소비자로 직접 공급방식을 도입해 공장도소매 전략을 성공적으로 정착시켰다. 비록 3년 동안 잃은 것도 많으나 그 경험으로 인하여 현재는 더 큰 것을 얻을 수 있는 결과를 기대할 수 있게 되었다.

지금은 환경을 중요시하는 시대에 발맞춰서 전동 블라인드도 소재 개발에 힘쓰고, 블라인드 원단에 항균 기능뿐만 아니라 공기정화 기능을 추가하고 태양에너지를 이용한 무전력 블라인드를 개발, 제품 판매에 집중하고 있다. 시행착오를 통해 실패나 실수를 넘어 더 나은 결과를 향해 나아갈 수 있는 것이라 생각한다.

세상 모든 일이 완벽할 수 없지만, 자칫 한 번의 실수로 모든 것을 잃어버리지 않도록 노력하고 있다. 항상 작은 것의 소중함을 삶의 가치로 두고, 한 조각 구름 같은 작은 꿈으로도 무한한 가능성을 여는 무지갯빛 미래가 열리기를 기대한다.

나의 인생, 나의 시계

김 관 택 | 케이엘피코리아㈜ 대표이사

KOIMA 이사

인생의 시작과 끝을 맞이하는 순간, 사람들은 시계를 본다.

나와 시계와의 운명적 만남은 벌써 30년이 되었다.

1989년에 개인회사로 시작해 홍콩과 미국과의 거래를 시작으로, 1990년에는 법인회사를 설립하면서 본격적인 사업을 일으켰다. 국내에서는 1989년부터 시계 품목이 정식으로 수입 허가되었다. 당시에는 수입하려면 수입할 때마다 협회의 허가 도장을 받아 진행하는 형태이어서 대리점 협회의 회원이 되는 것이 필수였다.

지금도 그렇지만 시계 부품 중 무브먼트는 전량 수입에 의존하고 있어서 자주 협회 사무실에 가서 수입허가 도장을 받았다. 많이 갈수록 나의 사업이 번창하던 시절이었다. 우리 회사가 지불한 수입 허가료가 협회의 발전에 작은 밑거름이 되었으리라…….

국내 시계 산업은 수입금지 조치로 인한 보호 속에서 나름대로 큰 성장을 하였고 국내 산업에서 큰 자리를 차지할 정도로 인기 제품이었다. 정밀분야에 대한 한국인의 손재주가 있어 국내외적으로 품질 좋은 시계를 만들었던 것은 자부할만한 사실이다. 다만 세계시장의 흐름을 잘 못 읽어 국제 경쟁력에 대한 기본지식이 부족했던 것이 결국 큰 실수가 된 것이라 생각한다.

2000년대 초까지 기라성 같은 국내 4대 메이커로 삼성 시계, 오리엔트 시계, 한독 시계, 아남 시계가 있었다. 그 후속으로 로만손 시계 등 100여 개의 중소기업 시계 회사들과 그 아래 유명 부품 제조회사들이 국내 산업에서 큰 비중을 차지하였다. 삼성은 자동차처럼 시계 분야에 관심을 가지고 시계 산업에 뛰어들어 제조와 수출에 엄청난 노력을 하였지만 결국 국제 경쟁에서 살아남지 못해 큰 손실을 보고 삼성 자동차처럼 삼성 시계가 사라지게 되었다. 그 뒤로 4대 메이커는 사라지고 작금에 있어 로만손 시계 역시 최고의 명성을 뒤로하고 사업의 다각화를 하고 있다. 그 후 국내의 실력 있는 부품 메이커들은 외국 유명 브랜드 시계에 부품 공급을 하는 실정이다. 많은 사람들이 스마트 폰이 생기고 나서 시계 수요가 줄어 국내의 시계 산업이 위축되고 시계 회사가 많이 없어졌다고 말한다. 그러나 스마트 폰이 유행하면서도 시계 수요는 줄지 않았다. 시계 수요가 줄었다고 생각하는 계층은 50대 이상이 많다.

시계는 평생 한 두개면 된다고 생각하던 시대의 생각이기 때문이다. 실질적으로는 경제가 발전한 선진국일수록 시계 수요는 더 늘어나고 있다. 그 이유 중 하나는 단순히 시계를 시간 측정으로 사용하는 것보다 하나의 액세서리, 패션아이템으로 자리 잡았기 때문이다. 우리나라의 젊은 층들은 이미 다양한 시계를 가지고 있으며 자신의 이미지와 패션에 맞는다고 생각한다면 백여만 원 이상의 시계를 쉽게 몇 개씩 구매하고 있다. 선진국에서 시계는 오래전부터 당연히 옷처럼 패션의 영역이다. "시계를 찬다."는 말을 영어로 옷을 입는다는 의미로 "Wear a watch"라고 한다. 상황에 따라 넥타이 색상을 바꾸거나 옷 디자인을 선택하는 것처럼 다양한 시계를 필요로 한다.

점잖은 비즈니스 미팅 시 상대방에 따라 시계의 선택이 달라지고 자신의 이미지를 강조하기 위해서 상황에 맞는 시계 브랜드나 디자인을 선택한다. 남성들의 경우 넥타이 색을 통해서 자신의 이미지를 보여주는 경우가 많다는 것이 일반적인 패션상식이다. 보다 중요한 이미지를 만들기 위해서는 섬세한 디자인의 시계나 강인한 이미지를 주는 시계 등을 사용한다면 더 깊은 여운을 줄 수 있다. 중요한 사업 모임을 위해서는 클래식한 디자인 시계를, 부담 없이 만나는 경우에는 캐주얼용 시계, 사교적인 저녁 모임이나 파티일 경우에 사용하는 패션시계, 등산, 수영, 마라톤을 위한 스포츠용의 시계가 필요하며, 더 나아가 옷의 디자인에 맞추어 사용할 시계의 선택이 고급화되었다. 그 상황에 시계 변화를 주어야 되는 것은 상대방에 대한 배려이기도 하고 자신감을 보여줄 수가 있기 때문이다.

멋진 정장 슈트 입은 신사가 한쪽 손에 시계가 안 보인다면 매우 어색한 옷차림새가 된다. 만나는 상대방이 본인보다 지위가 높거나 나이가 많아 점잖게 이미지를 주고 싶으면 검은색 가죽 밴드에 심플한 로마 숫자판의 슬림형 디자인 시계를 차면 매우 훌륭한 이미지를 준다. 거기에 스몰 세컨드 초침을 넣은 시계일 경우는 상대방에게 예의를 갖춘다는 의미도 보여줄 수 있다. 대화의 상대방이 덜 부담스럽거나 나이도 비슷할 경우에는 옷의 색상과 어울리는 컬러의 문자판을 사용한 멀티 기능의 무브먼트 시계에 조금은 강인해 보이는 메탈 밴드의 시계를 추천한다. 이런 이미지의 시계는 확실하고 강한 상대라는 표현을 줄 수 있다.

여성은 다양한 액세서리로 자신의 이미지 메이킹을 하여 시계에 대한 신경을 덜 쓰는 경우가 많지만 나름대로 팔찌와 시계 역할을 겸비하는 디자인 시계를 사용한다면, 상대방에게 좀 더 섬세하고 세련된 사람의

시계를 위한 구매사절단이었지만 수입보다 수출에 성과가 좋았다. 국제적으로 시계는 스위스, 일본 다음으로 메이드 인 코리아 제품을 원하기 때문이다.

이미지를 줄 수 있다. 다양한 시계 디자인을 이용하여 자신을 표현할 수 있다는 것이 남성의 경우보다 선택의 폭이 넓다.

본사는 20여 년 전부터 미국의 클린턴, 부시, 오바마 대통령 시계를 미국관공서에 납품하였다. 그 수출에 대한 내용이 국내외의 언론에 많이 소개되었으며, 그 영향으로 한국 시계의 위상이 높아지기도 했다. 세계의 유명 메이커들 속에 한국 시계가 인정받았다는 것은 그만큼 국내 시계 기술이 뛰어나다는 의미이기도 하다. 시계는 최소 10여 개의 1차 부품업체와 다시 30여 개의 2차 부품업체가 있어야 된다. 또한 기술을 배우는 데 시간이 걸리기 때문에 젊은 층을 키우기가 쉽지 않다.

패션 아이템으로서 시계의 선택 기준으로 국내외의 브랜드를 상관하

지 않는 입장이지만, 솔직히 외국 브랜드 시계가 훨씬 가성비도 좋고 디자인이 다양하다. 나 역시 여러 가지의 국내외 브랜드 시계를 상황에 맞게 선택하는 편이다. 국내 브랜드 시계는 중소기업으로 10개 정도이며 세계시장에서 반도체처럼 인정받기 위해 많은 노력을 하고 있지만 쉽지는 않다. 하지만 국산 시계는 품질과 가격으로 따지면 가성비로는 최고다. 같은 품질에 대한 국산 시계의 가격은 외국 브랜드에 비해 1/10 수준 정도의 가격이다. 거의 모든 브랜드 제품이 그러하듯이 시계는 품질보다 브랜드가 가격 결정에 중요하게 차지하는 품목이다. 시계는 비싼 명품시계일수록 시간의 정확도가 떨어지는 경우가 많다.

협회의 여러 활동 중 구매사절단으로 참여하여 거래처 확보와 발전에 많은 도움을 받았다. 국제적인 공급처 및 바이어와 새로운 거래관계를 만들기도 했다. 더 큰 소득은 여행기간 동안 많은 분들과 서로 시간을 보내면서 좋은 인연을 얻었고 그 후 조언을 주고받는 선후배 관계가 되어 개인과 회사의 발전에 많은 도움을 받았다. 시계를 위한 구매사절단이었지만 수입보다 수출에 성과가 좋았다. 국제적으로 시계는 스위스, 일본 다음으로 메이드 인 코리아 제품을 원하기 때문이다. 구매사절단으로 인도와 미얀마 방문 시에는 처음으로 그 지역에 수출거래가 되어 보람도 있었다. 앞으로는 협회에서 수입뿐 아니라 수출에 대한 시장조사를 같이 하여 다양한 상담기회를 만들어 주기를 바라본다.

시계와 맺은 30년 인연이 이제는 인생에서 가장 의미 있고 가치 있는 시간이었음을 새삼 깨닫게 된다.

신의와 의리 바탕의 관계, 그리고 감사

김 병 관 | **헤리티지캐시미어코리아 대표**

KOIMA 분과위원회연합장

사회생활을 하면서 깨달은 귀중한 교훈은 인간 관계든지 비즈니스 관계든지 신의와 의리가 기본이며, 그 과정이 어렵더라도 그 결과는 아름답다는 소중한 깨달음이다. 사업을 하면서 가장 소중한 인생의 변곡점을 가졌던 관계들을 소개하고자 한다.

어렵시리 사업을 시작하기는 했지만, 자금 문제로 힘들어하던 시절이었다. 은행에 작은 빌라를 담보로 500만 원 대출신청을 하였다. 은행에서 담보 외에 추가로 보증인을 요구하였다. 이곳저곳 알아보는 와중에 개인적인 친분이 있었던 박판식 장로님이 선뜻 은행 보증을 서주시어 500만 원을 은행에서 빌릴 수 있었다. 그때의 고마움이란 이루 말할 수 없이 큰 것이었다. 감사한 도움으로 사업 초기의 힘든 시절을 잘 이겨내

관계자는 물론 소비자들의 인식이 확고해지면서 매출이 매년 신장하게 되었다. 성실과 신의는 개인 간의 관계는 물론이고 사업에서도 공급자와 수요자 사이에 꼭 있어야 하고 지켜져야 하는 것이라는 점을 믿는다.

고 지금의 성취를 이룰 수 있는 초석을 다질 수 있었다. 그 이후에 감사한 마음을 담아 25년 동안 잊지 않고 추석과 설날에 갈비 선물을 마련해 보내드리면서 인연을 이어오고 있다.

1995년, 한국시장에 진출할 계획을 갖고 있던 영국 캐시미어 생산 전문회사의 존 케이(John Kaye) 대표와 인연을 맺게 되었다. 한국 시장개척을 위해 의기투합한 존 케이 대표와 나는 에이전트 계약을 맺고 최선을 다하여 시장개척에 나섰다. 당시에는 사업 초기였기 때문에 회사가 1인 기업으로서 넉넉하지 못한 상황이었지만 개의치 않았다. 덕분에 사업이 어느 정도 굴러가는 단계에 이르렀다고 생각했는데, 그 와중에 1997년 IMF로 인해 회사는 엄청난 타격을 입게 되었다. 회사를 계속해서 운영할 수 없는 절체절명의 위기를 맞았다. 이때 구원의 손길처럼 존 케이 대표의 도움이 다가왔다. 나의 어려움을 알고 IMF 초기부터 영국에서 회사 운영비를 지원해 주었던 것이다. 그 세심한 배려와 지원이 지금의 회사를 있게 해준 원동력이 되었다. 물론 그 지원금은 이후에 매출 신장을 통해서 충분히 되갚아 주었다. 그와 같은 신의와 의리가 25년간 이어지는 사업을 통해 형제와 같은 긴밀한 관계로 유지되어 오고 있다.

영국 캐시미어 상품의 인지도가 높아지면서 판매도 늘기 시작할 무렵, 현대홈쇼핑과의 제안이 이루어졌다. 신실한 상품으로 소비자들과의 신의를 중요하게 여긴 사업에 대한 좋은 평가가 있었기 때문이다. 현대홈쇼핑 개국 다음 해인 2003년 영국 캐시미어 상품을 좋은 디자인과 합리적인 가격으로 제안하였다. 좋은 상품을 합리적인 가격으로 판매하기 시작하자 소비자들로부터 많은 호응을 받게 되었다. 이로써 한국의 홈쇼핑 채널에서 100% 캐시미어 상품의 판매가 성과를 보이기 시작하였고, 그 100% 캐시미어 의류의 홈쇼핑 시장을 개척하는 계기가 되었다. 현대홈쇼핑과는 지난 18년간 신의를 지키며 꾸준히 판매해오고 있다. 역시 비즈니스에도 신의와 의리를 지킨다면 오래도록 좋은 관계를 맺을 수 있음을 보여주는 예이다.

홈쇼핑에서의 성공으로 사입의 영억을 백화점으로 넓힐 기회를 얻게 되었다. 좋은 품질과 좋은 디자인은 물론 합리적인 가격 정책으로 소비자들에게 어필할 수 있게 된 것이다. 우리나라의 대표적인 백화점이라 할 수 있는 현대백화점과 거래하면서 최선의 품질과 디자인뿐만 아니라 합리적인 가격을 소비자들과 공유하는 정책을 유지함으로써 신뢰 관계를 구축할 수 있게 되었다. 이 역시 성실과 신의를 바탕으로 이루어진 관계로, 소비자들이 인정해주고 알게 되면서 현대백화점과 신세계백화점 내에 '캐시미어 하우스' 매장을 공식 운영할 수 있게 되었다. 관계자는 물론 소비자들의 인식이 확고해지면서 매출이 매년 신장하게 되었다. 성실과 신의는 개인 간의 관계는 물론이고 사업에서도 공급자와 수요자 사이에 꼭 있어야 하고 지켜져야 하는 것이라는 점을 믿는다.

한편, 나는 48세 때 건강의 적신호를 느끼기 시작했고 이때부터 대체의학 건강관리에 관심을 갖게 되었다. 그즈음에 이침 전문가 이선호씨를 알게 되었다. 이분은 젊어서부터 이침을 연구하였고 '이침 요법' 책을 출판한 그 분야 전문가로 알려져 있었다. 이선호씨의 강의를 주 1회, 1년 이상 수강하면서 건강 진단을 받고, 직접 이침을 맞는 체험을 하였다. 수강을 마친 1년 후, 나의 건강 상태가 완전히 회복되었다. 그 이후부터 대체의학에 많은 관심을 갖게 된 계기가 되었다.

지나온 세월 동안 여러 가지 의미로 관계를 맺어오면서 인생의 지침으로 중요하게 지켜온 것은 바로 신의와 의리라 할 수 있다. 인생의 고비마다, 그리고 사업의 변곡점마다 그 어려움을 헤쳐 나올 수 있었던 것은 바로 신의와 의리로 이어진 인연과 관계 덕분이었음을 믿어 의심치 않는다.

반도체 산업발전에 기여하다

김 병 모 | 영신태양광 대표

KOIMA 자문위원

세상이 아날로그에서 디지털 시대로 변하는 것을 가장 먼저 피부로 느낀 사람 중의 하나이다. 디지털이란 말이 아직 생소하게 들리던 때인 1975년, 수많은 전자제품들이 아날로그에서 디지털식으로 변경되면서 새로운 시대의 도래를 이야기 하던 때이다.

1975년, 미국의 3대 화학제품 회사인 몬산토(MONSANTO) 한국지사에 입사하며 그 디지털 시대의 첨병역할을 담당하게 되었다. 당시만 해도 획기적인 제품이었던 시계의 시간을 바늘 대신 숫자로 표시되는 손목시계의 기본 부품인 발광 다이오드(LED Display) 공급 오퍼 업무를 처음 맡게 되었다.

당시 우리나라 최대 LED 시계업체인 올림포스전자, 민성전자 및 한

독산업 기술팀과 구매 담당자들을 밤낮으로 만나서 제품을 설명하고 영업하여 첫 주문서와 신용장을 받았을 때 그 감격의 순간은 지금도 잊지 못한다. 그 기간 동안 얼마나 긴장하고 피로가 심하였던지 위염을 심하게 앓게 되어 한 달간 흰죽만 먹으며 치료를 받았던 기억이 생생하다. 지금도 위내시경 검사를 하면 그 상처가 훈장처럼 남아있다.

반도체의 핵심, IC(집적회로)

오늘날 한국 전자산업의 효자 종목이자 우리나라 수출의 최대 품목이 된 반도체 산업이 아직 걸음마 수준일 때, 기본 재료인 규소 박판을 미국에서 수입해 국내 업계에 공급하여 지금의 거대한 반도체 산업으로 발전하는 데 발판을 마련해 준 것은 생각만으로도 가슴이 벅찬 일이다.

전자산업의 핵심부품인 IC(집적회로)를 우리나라 한국반도체㈜에서 생산하기 시작하면서 IC 제작을 위한 기본 원재료인 규소박판(Silicon Wafer)을 내가 근무하던 몬산토 사의 제품으로 제공하게 되었다. 몬산토 사의 한국지사로서 한국반도체(삼성에서 인수하여 삼성반도체가 됨), 금성반도체 및 전자통신연구소에 공급하는 오퍼 업무도 시작하게 되었다.

한창 한국정부에서 반도체 산업 육성을 위한 장기계획을 진행하던 시기에 반도체 기초 원료인 규소박판의 국산화와 외자유치를 위하여

몬산토 사에 국내 생산공장 설립을 제안해왔다. 나는 좋은 기회라 생각하고 몬산토 본사에 한국정부의 제안을 전하고 국내에 생산공장 설립을 요청하였다. 그러나 본사에서는 한국의 규소박판 수요가 너무 적고, 낮은 시장 점유율(Market Share)과 국내에서 생산해도 국내 고객사들의 구매호감도가 검증되지 않아 아직은 시기상조라며 거절하였다.

이를 개선하기 위해 국내 고객사들의 호감도와 시장점유율을 높이기 위하여 몬산토 사의 품질관리 담당과 박사급 전문가들을 수차례 초청하여 규소박판 검사방법과 품질 향상을 위한 기술 세미나를 자주 개최하며 국내 반도체 회사의 품질관리 담당자들과 재료 담당 전문가들의 검사 및 분석 능력을 향상시켜 나갔다. 어느 정도 노력의 결과가 나타나기 시작하면서 경쟁업체들의 제품과 비교하여 우월한 제품으로 평가되었고, 시장점유율도 60%선으로 끌어올릴 수 있었다. 이 공로로 1984년에는 몬산토 극동지역 마스터 세일즈맨(Master Sales Man)으로 선정되어 미국 본사까지 초청되어 많은 CEO들의 환대를 받으며 현금 2,000달러의 상금을 받는 영광도 누렸다.

오퍼 업무가 단순히 물건을 조달하는 선을 넘어 양질의 외국제품을 국내회사에 공급 알선할 뿐만 아니라 외국의 선진기술을

오퍼 업무자들은 앞을 내다보는 선견과 끈질긴 노력으로 많은 반도체 원료와 장비들을 다른 경쟁국들보다 앞서 국산화하는 데 커다란 힘을 보탰다.

국내 회사에 전수하는 데에 지대한 역할을 하여 국내산업 발전에도 큰 공헌을 할 수 있다는 점에 큰 자부심을 느낀다.

한국의 반도체 산업이 비로소 발전단계에 접어들면서 삼성반도체의 과감한 반도체 생산라인 확장과 현대전자의 과감한 반도체 산업 투자로 한국의 규소박판 수요가 가파르게 증가한다는 시장분석보고서(15번째 보고서로 기억된다)를 본사에 제출하였다. 이미 시장점유율을 60% 이상 선점한터라 본사에서는 즉시 한국투자를 허가하였고, 동부산업과 합작사인 코실주식회사(KORSIL CO)를 설립하게 되었다. 이로써 한국이 미국, 독일 및 일본에 이어 세계 4번째의 규소박판 생산국가가 되었다.

코실주식회사는 후에 동부산업이 몬산토 사의 지분 50%를 인수하였다가 LG Siltron에 전 지분을 넘겼고 LG Siltron은 전 지분을 SK에 넘겨 SK Siltron이 되었다. SK Siltron은 세계 최상급의 450mm 구경(Diameter) 규소박판을 제조 공급하는 세계 4대 규소박판 회사로 부상하게 되었다.

오퍼 업무자들은 앞을 내다보는 선견과 끈질긴 노력으로 많은 반도체 원료와 장비들을 다른 경쟁국들보다 앞서 국산화하는 데 커다란 힘을 보탰다. 우리나라가 세계 반도체 최강 국가로 발전하고, 우리 반도체 제품이 최대 수출 제품으로 우리나라 국민을 먹여 살리는 산업으로 발전하기까지 숨은 조력자, 오퍼업체들의 작은 영웅들이 있었음을 기억해 주었으면 하는 마음이다.

독일 E+H 기업과의 합작에서 헤어짐까지

김 봉 구 | 비케이코포레이션 대표
KOIMA 자문위원

무역업을 하면서 해외 기업과의 합작은 커다란 도전이자 기회이다. 또 사업의 성장에 따라 다양한 변수가 나타나게 되고, 이를 어떻게 대처하느냐에 사업의 성패가 좌우되기도 한다. 과감한 의사결정과 시의적절한 진퇴를 결정해야 하는 경영인으로서의 번민과 힘든 과정은 미루어 짐작할 수 있을 것이다.

독일 E+H사와의 합작과 사업 과정을 통해 나름의 배울 교훈이 있을 것 같아 소개하고자 한다.

1978년 봄, E+H 기업 해외 담당 임원이 한국을 방문하면서 본사(한

일계전: 하이트롤 초기 개인기업)와의 미팅을 의뢰해 왔다. 갑자기 영어 통역 할 만한 사람이 없어 동업자(3인 동업 회사였다.)의 친척 도움을 받아 회의를 하게 되었다.

당시 국내 최초로 레벨계측기(수위조절)를 제조하고 있었던 본사에 대해 독일 E+H 기업에서 관심을 갖고 있으니 투자를 통해 합작 기업을 만들자는 제안을 하였다. 당시 국내에서는 정보도 부족하고 도움을 받을 만한 법무법인이 없어 진흥공단(SBC)에 의뢰해 독일에서 초빙한 72세의 경력과 경험이 많은 자문위원의 도움으로 합작 업무가 시작되었다. E+H 기업은 이미 일본의 SAKURA 기업과 합작회사를 설립해 아시아 지역에 진출하던 중에 한일계전을 찾게 된 것이다.

1978년, E+H 해외담당 이사로부터 제안을 받은 후 가까운 일본 SAKURA 대표 및 임원들과 자주 왕래하며 합작에 관한 내용을 파악하기 시작했다. 일본 SAKURA 기업은 TANK LEVEL GAGE 제조사로 E+H사와 합작사를 설립하였다. 당시 한일계전사는 수입허가증이 없어 사돈 기업이었던 상해통상 수입면허로 일본 SAKURA TANK GAGE를 수입하여 국내시장에 공급하였다. 일본 무역에 경험 있는 분을 영입하여 사업을 진행하여 회사 발선에 도움을 가져왔다. 1980년에 처음으로 일본 방문을 하면서 일본 레벨계측기기 여러 기업과 거래를 늘릴 수 있었다. 상해통상 수입면허는 1986년 독일 E+H 기업과 합작 시까지 도움을 받았다.

일본 SAKURA사의 합작 권유로, 진흥공단 고문 코푸씨의 도움과 김앤장 박상열 변호사(당시 뉴욕 상권변호사)의 진행으로 합작을 위한 서류작성을 시작하여(E+H사와의 업무를 위해 고액의 해외 영업 경력직원을 영입했다.) 본격적으로 합작 업무가 진행되었다. 1985년 10월 독일 E+H사 초청으로 본인과 기술담당 동업자는 생전 처음 유럽 독일로 출장을 가게 되었다. 합작 상대 기업의 생산제품과 기업 상황 등을 점검하기 위한 여행으로 당시 김포 공항 출발, 알래스카 경유, 프랑크푸르트 경유, 스위스 바젤공항이 최종 도착지인 총 25시간의 비행이었다.

1985년 10월 25일, E+H 기업 설립 기념일을 맞아 우리를 초청한 것이었다. 합작 이야기가 오가면서 종로 파고다 영어학원에 야간 강의를 받아 겨우 더듬더듬하는 수준의 영어를 하게 되었다. 바젤공항은 프랑스, 스위스 2개국에 접해 있었다. E+H 기업 리멘슈나이더 부회장으로부터 상세설명을 들은 덕분에 입국심사대를 통과해 여행 가방을 찾아 나오니 부회장이 마중 나와 반갑게 맞아 주었다.

다음날 바젤 숙소까지 부회장이 직접 픽업 와서 첫 번째 방문지인 도일 로락 이라고 하는 마을에 있는 부회장 집으로 안내했다. 먼저 가족들을 소개하고, 이어 E+H 창립기념 행사장으로 향했다. 1951년 설립되어 34주년을 맞은 기념행사 당일 저녁 7시 오픈으로 10시까지 흥미로운 행사가 진행됐다. 다음날 말버그에 있는 본사 공장을 방문했다. 약 700명의 직원들이 8시간 작업시간에 맞추어 일하고 있었다. 본사 정문 깃대에 한국 태극기를 달아 놓을 정도로 세심하게 우리 일행을 환영하는 모습을 보여 주었다. 본사공장을 투어하며 합작 시 한국 한일계전에 기술 이전할 제품 제조 과정에 대해 상세한 설명이 이루어졌다. 이후 E+H 설립자 조지 엔드레스와 인사 환영을 받으며 임원들을 소개받았다. 방문 3일째 말버그 근처 PCB 가공 조립공장을 방문해 작업 공정에 대해 설명을 들었다. 후에 알았지만 PCB 기본 자재는 한국 대덕전자에서 공급받고 있다는 것을 확인하였다.

E+H 방문 3일째, 말버그에서 북쪽으로 차로 2시간 달려 도착한 제3 수질분석 기기 제조 공장을 방문했다. 방문 4일째에는 스위스 바젤시의 E+H 홀딩 그룹사 경영본부를 방문했다. 이곳은 전 세계 E+H GROUP 경영 관리를 위해 구성된 컨설팅과 자금관리 총본부로 이미 유럽 영국, 네덜란드, 오스트리아, 이탈리아, 벨기에, 인도, 일본, 싱가포르, 미국 등 15개국에 합작사가 만들어졌고, 시장 확대를 위해 한국 한일레벨과의 합작을 추진하는 것이었다. 이번 초청 방문도 그 계획의 일환으로, 향후 20년을 내다보며 합작회사를 추진한 것이었다.

방문 마지막 날에는 E+H GROUP 창업자 조지 엔드레스의 저녁 초대로 자기 본가를 방문하여 가족을 소개받았다. 저녁식사는 본인이 직접 앞치마를 두르고 스테이크 요리와 와인, 위스키를 준비했다. 조지 엔드레스가 식사 전에 보여줄 게 있다면서 와인 저상고, 위스키 코냑 수집고를 보여주며 선택을 하라고 했다. 자기가 한국 방문 시 접대받은 것에 대한 보답이라며 마음껏 고르라고 했다. 그는 위트가 많고 인자한 성품의 소유자였다. 당시 나와 나이 차이는 12년으로 4남 4녀를 둔 대가족이었다. 후에 둘째 아들 클라우스 엔드레스가 그룹 경영을 맡게 되었고, 1998년 E+H KOREA 창업 때 한국을 방문한 바 있다.

후배들에게 멘토를 한다면, 모든 일에 오만·교만·
자만이라는 나쁜 근성을 버려야 한다. 그리고
사업과 사회에 배려와 봉사를 하는 기업이 된다는
마음을 가지라는 것이다.

독일 E+H 방문 후 합작 절차는 복잡하지만 순조롭게 진행되었다. 모든 서류는 김앤장 법무 사무소에서 진행하였고, 자본금 기준으로 80:20 비율로 투자금 10만 달러가 도이치 은행에 예치되었다. 합작 조건은 한일레벨 3인 지분 80%에 E+H사 20%로 합작 서류를 만들기까지 인천 인일공인회계 법인과 김앤장에서 협의와 진행을 맡았다. 양사간 승인 절차가 마무리되고, 한국 전경련에 접수하고, 상공부의 승인을 받았다. 최종 합작 서명은 쾰른시의 독일 경제인연합(BDI)에서 이루어졌다. 당시 한국 경제인연합회 노인환 상근부회장, 상공부 홍성좌 차관의 입회하에 E+H 조지 엔드레스와 한일레벨 대표(김봉구)가 서명하고, 다음날 본 소재 한국 대사관에 신고를 마침으로써 양국 기업 합작이 이루어졌다. 한일레벨에서는 김영창 대표와 방희욱 전무가 동행하였다.

도이치뱅크에 예치한 10만 달러는 한일레벨 도이치뱅크 계좌에 1개월간 예치되었다. 그리고 E+H사가 10만 달러에 해당하는 6개 아이템 제품에 대한 기술을 이전해 주게 된다. 일단 기술이전에 대해 상공부에서 도입 승인을 하게 되면, 이 10만 달러는 다시 E+H GROUP으로 송금된다. 즉, E+H 그룹은 투자금 0(ZERO) 상태에서 한일레벨의 투자사가

되는 것이었다. 결국 기술을 가진 기업이 지배하는 결과가 되는 것을 후에 알게 되었다.

합작 후 한일레벨은 매출 증가로 부천 공장 증설과 주변 건물 매입 등 발전을 거듭하게 되었다. E+H 그룹과는 매년 전시회를 함께하여 E+H와의 관계를 유지해 나가게 되었고, 이러한 홍보 덕택에 합작사 또한 계속 발전해 나갈 수 있게 되었다. 1987년부터 E+H GROUP 정기회의에 합작사 대표로 필자가 참가하여 GROUP CON을 1997년까지 지속해 오게 되었다.

E+H GROUP 회의는 매년 10월에 있으며, 3년마다 부부동반 회의로 가족적인 모임도 있어 전 세계에서 부인들이 참가하게 되는데, 나의 부인(차다미)도 1991년 일본 SAKURA ENDRESS 그룹 콘에 참가해 3일

간 회의 후 1주일 투어를 함께해 즐거운 시간을 가졌다. 1994년, 2주간 미국 인디아나 폴리스에서 E+H 부부동반 그룹회의에도 동반 참석해 추억을 쌓았다.

1994년 E+H와 합작 사업으로 E+H사의 많은 제품, 특히 전자유량계 제품의 수요가 많았다. 당시 국내에는 정수처리장 신증설로 전자유량계, 수질분석계 등 수요가 엄청 늘어 자사인 하이트롤 제품보다 더 많은 양을 판매하기에 이른다. 하이트롤 제품보다 E+H 제품의 수요가 기본 설계에 적용되면서 판로가 크게 증가한 것이었다. 후에 이로 인해 서로의 결별을 가져온다.

1994년 한국전력의 신임 이종훈 사장의 국산화 정책으로 원자력발전한 프로젝트를 추진하게 되면서 본사도 개발에 참여하여 217 아이템으로부터 여러 건 개발에 참여하게 되었다. 영광 5, 6호기부터 독점으로 공급하는 자사 제품부터 수입제품까지 함께 공급하여 매출이 증가했다. 울진 5,6호기에는 J217 유량 레벨 제품을 최초 국산화 제품으로 공급하게 되었다. 여기서 기존에 공급하던 미국 FCI 회사로부터 송사를 받게 된다. 김앤장 박 변호사에게 의뢰해 1년간 송사 끝에 승소 사건도 있었다.

1994년 E+H 미국 인디아나 폴리스 그룹콘에서 한일레벨-하이트롤 합작사가 E+H 전제품의 취급 판매 기업으로 발표되었다. 이로써 E+H 제품에 대한 본격적인 판로 개척이 시작된다. 이로 인해 매출 효과가 100만 불에서 300만 불까지 증가해 E+H 홀딩스에서 중국보다 물량이 많다며 놀랄 정도였다.

그러던 중 1996년 E+H 한국 담당 임원이 본사 하이트롤을 방문해 한국에 E+H 전문 판매 기업을 설립하겠다고 밝혔다. 향후 1년을 보고 준비하겠다는 것이었다. 당시 하이트롤은 크게 동요하지 않고, 기술적으로 큰 문제없다는 기술담당 대표의 이야기를 100% 신뢰하고 걱정하지 않았다. 하지만 후에 이 문제로 회사가 도산 직전까지 이르게 된다. E+H 제품이 한국 산업현장에 공급되면서 데몬스트레션으로 많은 개선을 하였으며 서비스 비용도 만만치 않았다. 납품한 전자유량계 제품에 문제가 발생해 개선작업에 들어가고, 경쟁 회사의 혁신 제품에 판로가 막히는 등 시장을 모두 잃게 된다. 여기서도 기술을 가진 자가 시장을 지배한다는 교훈을 얻게 된다.

1996년 E+H 해외 영업이사로부터 E+H KOREA를 설립하겠다는 통지를 받았고, 1997년 10월 E+H 리멘슈나이더 그룹 부회장이 하이트롤을 방문해 3일간 김앤장에서 하이트롤 기업과 E+H 그룹과의 새로 설립하는 E+H KOREA SALES COMPANY 대표로 본인을 지정하여 향후 5년간 업무를 맡아 달라고 간청해왔다. 고민에 쌓여 며칠 협상에 들어갔다. 허나 경험이 있는 컨설팅사나 전문 멘토를 찾지 못하면서 동업자 대표 3인과 협의를 한 결과 직원들의 요구도 있고 하니 그냥 하이트롤 대표로 남아 있기로 했다.

돌이켜 보면 3인 동업인 하이트롤에 2인 동업 대표가 경영하고, 본인

(김봉구)은 지분을 그대로 소유하면서 E+H 그룹과의 관계를 유지하며 5년의 대표업무를 수행했다면 손실도 적고, 양사가 더욱 발전할 수 있었을 것이라고 생각되었다. 모든 일에는 동전의 양면성이 있다고 본다. 당시 하이트롤은 매출도 좋고 현금 확보도 있어 향후 경영에 큰 어려움이 없을 거라고 보고 과감히 E+H로부터 100만 마르크의 합의금을 받고 결별하기로 결정했다. IMF 당시(1마르크/850원) 원화 8억5천만 원을 예치하고 20%의 지분인 3억5천을 주식 대금으로 하이트롤에서 지불하였다.

E+H 그룹에서는 어떠한 조건 없이 다만 새로 설립되는 판매 기업에 E+H 영업직원 12명과 인벤토리 재고 컴퓨터 등을 넘겨주는 조건에 100만 DM으로 합의하였다. 여기서 하이트롤 동업자 3인은 10년 앞을 보지 못하는 우를 범하였던 것이었다. 허나 E+H 그룹에서는 20년, 즉 1978년 처음 만남에서 1997년 결별까지 20여 년을 내다보는 혜안을 가졌던 것이다.

결론적으로 우리 측의 기술개발이 단기간에 이뤄지지 않았고, 보유한 현금을 믿고 안이한 생각을 한 것이 패착이었다. 20여 년간 편안한 영업으로 성장하면서 판단력에 문제가 있었던 것이다. E+H GROUP과 무리한 결별로 매출이 120억 원에서 당해 연도 46억 원으로 60% 감소해 부도 위기에 몰리게 되었다. 다시 100억 원 매출을 올리는 데 9년이 걸려 겨우 회생하였다. 협상 과정에서 E+H 그룹 리멘슈나이더 부회장은 하이트롤은 매출 감소로 도산에 이를 것이라고 예고했었다.

후배들에게 멘토를 한다면, 모든 일에 오만·교만·자만이라는 나쁜 근성을 버려야 한다. 그리고 사업과 사회에 배려와 봉사를 하는 기업이 된다는 마음을 가지라는 것이다. 그리고 어떠한 난관이나 힘든 일에 직면

하더라도 업무에 최선을 다하는 기업가가 되기를 바라마지 않는다.

E+H 기업

현재 E+H 기업은 그 당시 성장하는 중소기업이었는데, 1953년 설립 이래 매년 10-15% 이상 성장하는 패밀리 기업으로 성공하여 기술력을 중시하는 Top-down 프로세스 기술경영 방침이 아니라 기술의 가장 밑바닥의 Bottom-up 프로세스 경영으로, 다시 말하면 먼저 고객의 산업 기술 밑바닥으로 들어가서 기술 문제점들을 소리로 듣고 파악하고 고객으로부터 먼저 배워 끊임없이 새로운 제품개발과 성장과 투자를 통하여 튼튼한 중견기업으로 성장한 좋은 기업의 사례인 것 같다.

지금의 경영방침은 이전의 밑에서부터 배움(We learn from Customer We serve)이 아니라 나눔 경영(We share our technology and We serve)으로 바뀐 것 같다. 우리는 항상 겸손하게 배워서 각 개개인의 양심을 존중하며 함께 나누는 기업정신과 첨단기술로 발전하는 스위스 기업의 사례를 통하여 세계 국민소득 No.1의 모습을 보는 것 같다.

모든 본질적 의사 결정은 회사나 나라의 Top-down 결정이 아니라 각 개개인의 양심을 존중하여 사원들 간의 깊은 토론을 통하여 내리는 결정이 또한 성공의 비결인가 보다. 또 그 나라는 매번 국민 투표를 통하여 중요한 사안을 결정하는 올바른 양심과 근면과 절제를 바탕에 둔 성숙된 자유민주주의 모습을 보는 것 같다.

달구지 가는 소리는 산령을 도는데

김 완 희

KOIMA 제17대 회장

오월 연휴가 끝나고 다시 바쁜 일상이 시작되는 날이다. 내방 창 너머 아래로 보이던 목련이 다 시들었다. 매년 봄의 전령으로 계절이 바뀌는 걸 알려왔는데 말이다. 벌써 진초록으로 변해가는 나뭇잎이 초여름이 멀지 않았음을 알린다. 시간은 이렇게 말없이 흐른다.

여느 때 같으면 나도 이른 아침부터 분주하게 출근 준비를 할 터이지만 직접 운영하던 ㈜트리코상사와 대아금속공업㈜을 정리하고, 서산 공장도 매각한 후라 느긋하게 하루를 시작한다. 더군다나 코로나19 상황으로 대부분의 모임마저 취소되어 집에 있는 시간이 많아졌다.

며칠 전 한국수입협회 회장 시절에 초대 CEO아카데미 원장을 맡았던 성원교역㈜ 김창송 회장으로부터 우편물을 받았는데 오늘 아침에야 개봉했다. 수필집 한 권과 함께 KOIMA 창립 50주년 기념 산문집을 출간하신다는 내용이었다. 내가 협회 회장으로 재직 시 가까이서 자주 뵙던 분으로 체격도 크시고 마음도 크시다. 한번 사무실에 들렀었는데 마치 도서관같이 책이 많았다. 책을 많이 읽어서 그런지 행사 때마다 대중연설도 참 잘하셨던 기억이 새롭다.

17대 회장 시절에 40주년 기념 사사를 발간했었는데 벌써 10년이 지났다. 세월이 유수와 같이 흐른다는 말이 실감이 난다. 제12대 최승웅 회장 때 협회 이사직을 맡은 인연부터 내가 제17대 회장직을 마칠 때까지의 일들이 주마등 같이 지나간다. 만나본 CEO 한분 한분이 모두 재주가 많고, 여러 가지 능력도 많았다. 대부분 회사 규모는 작아도 국내 여러 산업 분야에서 경제활동에 매우 중요한 역할을 감당했고, 하나 같이 똑똑한 분들이었다.

제14대 이성희 회장 때 부회장직을 수행하면서 협회 출입을 본격적으로 하기 시작하여 협회의 대내외 일들을 자세히 알게 되었다. 제15대 진철평 회장 선거에 깊이 관여하게 되어 한양무역인회(한무회)를 결성하게 되었고 지금은 한양기업인회(한기회)로 참여 범위를 크게 넓혔다. 두 분 전 회장님 모두 다 꼼꼼하고 치밀한 분들로 매사에 틀림이 없다. 다소 지돌적인 내 스타일과는 많이 다르다. 문득 당시에 바둑 모임인 기우회를 결성하고, 개인적으로 사사 받았던 장수영 프로9단을 모시고 동호인들과 자주 친목을 도모했던 생각이 난다.

제17대 회장 선거는 참으로 치열했다. 나를 포함해서 4명이 치열한 선거전을 펼쳤으며 간발의 표차로 내가 회장에 당선됐다. 이후 낙선 후보

일부 지지자들이 협회를 상대로 선거 무효소송을 내고 회장직무정지가 처분 소송을 제기했다. 열심히 선거운동을 했는데 근소한 차로 낙선했으니 얼마나 아쉽고 억울했겠는가. 그 당시 난생 처음으로 소송이란 것을 접하게 되어 무척 혼란스럽고 당황스러웠으나 많은 분들이 본인 일처럼 협회 소송을 도와주셨다. 1년 남짓 지난 후에 대법원까지 가서 조정으로 소송이 마무리되었다. 그 일로 비용도 많이 들고 협회 분위기도 좋지 않게 되고 무엇보다 내가 구상했던 여러 협회 사업을 제대로 할 수 없게 되었다. 앞으로는 아무에게도 도움이 안 되고, 서로에게 소모적인 이런 일이 다시는 일어나지 않았으면 하는 바람이다.

2000년 수입자유화 시행 이후로 인증 사업이 폐지되면서, 협회 재정 중에 회원사 연회비 의존도가 매우 높아졌다. 회원사가 1만4천여 개 사일 때까지는 그나마 수지를 맞추었는데 매년 회원사가 줄어들게 되면서 재정 상태가 계속 악화되어 갔다. 다른 재원을 만들지 않고서는 재정 자립이 구조적으로 불가능하게 됐다. 그 일환으로 유동림 사장과 함께 당시 국회 기획재정위원장을 만나서 정부 차원의 우리 협회에 대한 특별 재정 지원을 추진했는데 결실을 맺지 못했다. 빨라야 2-3년이 걸리는 일이었다.

VIP 해외 순방 때마다 수입협회장도 동행하는데 통상외교전에서 우리 협회의 역할이 매우 컸다. 또한 협회가 연간 4-5회 파견하는 해외구매사절단의 역할도 매우 크다. 이러한 우리 협회의 통상외교 순기능에

잊지 못 할 일은 구매사절단으로 회원사 대표와 함께 세계 방방곡곡을 방문했던 일이다. 일에서 오는 보람도 컸지만 무엇보다도 여행에서 얻어지는 여러 가지 애환, 즐거움과 추억들이 더 컸다.

비추어 볼 때 정부의 재정 지원을 제대로 받지 못하고 있는 현실이 무척이나 안타깝다. 일반 개별 지자체에 공여하는 정부 차원의 재정 지원을 비추어 보면 더욱더 아쉬움이 남는다. 협회가 영리법인이 아닌 관계로 별도의 영리법인 코이마홀딩스를 설립해서 장규화 사장을 초대 대표로 선임하여 협회차원의 영리사업의 불씨를 지폈다. 지금은 협회 자체에서 방위사업 분야에서 사업을 추진하고 있다. 어찌됐건 회원사 연회비로 협회를 운영한다는 것은 근본적인 해결책이 안 된다고 생각한다. 오히려 회원서비스를 늘려야 된다고 생각한다.

회원 상호간의 교류를 넓히고 참여를 높이기 위해서 'KOIMA CEO 합창단'을 창단한 지도 벌써 10년이 지났다. 정찬우 사장이 초대 단장을 맡고 박병철 지휘자를 모시고 참으로 많은 공연과 활동을 하였다. 덕분에 지금은 이병소 사장의 주선으로 코리아남성합창단에서 바리톤으로 활동하고 있다.

한번은 이명박 대통령을 모시고 동반성장위원회 행사에서 공연을 했었다. 5대 경제단체장이 모두 참석한 큰 행사였다. 그런데 추진 사업도 부진하고 축사도 매우 길어서 분위기가 가라앉았는데, 설상가상으로 첫 번째 합창곡 "You raise me up"으로 분위기가 더 가라앉았다. 그런 상황에서 다음 곡으로 부른 8분의 6박자의 빠른 민요풍 가곡 "산촌"에서 내가 곡 중 솔로를 맡아 분위기를 업 시켰다. 앞줄 가까이 계셨던 대통령님이 내 얼굴을 아시는데 내가 립싱크하는 줄 아시다가 진짜 부르는 걸 알고서부터 박수치면서 어깨춤도 추면서 주위 사람들과 함께 흥겹게 박자를 맞추셨던 기억이 난다. 격려금으로 금일봉도 보내 주셨다.

"달구지 가는 소리는 산령을 도는데♬..."로 시작하는 '산촌'을 부를 때면 아련한 어린 시절 어머니 모습이 떠오른다.

내 고향 남창리, 내가 태어나고 자랐던 남창리 271번지. 해남 땅끝 마을에서 멀지 않은 곳으로, 조선 명종 10년 왜선 70여 척이 침입(을묘왜변)했을 때 달량포 해전을 승리로 이끈 사령부가 있던 자리이다. 지금도 옛 성터가 조금 남아있고 현재는 문화재로 등재되어 있는 유서 깊은 곳이다.

5일장이 열리는 장날에는 꼭 어머니를 따라나섰다. 장터에 가면 이것저것 구경할 것도 많고 맛있는 것도 많이 먹을 수 있기 때문이었다. 장이 서는 송지리까지는 10여리 남짓 되는 거리인데, 넉넉지 않은 살림으로 어머니는 몇 푼 안 되는 차비라도 아끼려고 항상 걸어서 그 길을 오갔다. 고갯길도 몇 개 넘어야 하는 산촌의 신작로 길은 어린 꼬마인 나한테는 꽤나 먼 거리였다. 당시 교통수단은 사람을 짐짝같이 많이 태우고 아주 가끔 다니는 낡은 버스가 있었지만, 대부분은 소달구지였다.

어머니는 먼 길을 걷는 아들의 모습이 안쓰러워 모든 짐을 혼자 머리에 이고, 손에 들고 오셨다. 오는 길에 소달구지를 얻어 타고 오는 날은 세상 모든 것을 가진 기분이었다. 달구지는 힘들었을 우리 어머니를 편하게 해준 고마움이었다. 지금의 벤츠 자가용이 아무리 편한들 달구지에 비할 바가 아니다. 어린 나도 즐거움에 겨워 절로 동요 콧노래가 나오곤 했다.

제19대 신태용 회장 시절에는 하계세미나를 위해 태국에 갔을 때 태국총리 공관에 초대되어 공연도 하고 매스컴에 대서특필도 되어 참으로 KOIMA 위상도 높아지고 민간 외교사절단으로서의 역할도 톡톡히 했었단다. 3대 단장으로 ㈜티앤씨코리아의 장규화 사장이 지금까지 맡아 오고 있는데 헌신적인 봉사와 재정지원으로 어려운 살림을 꾸려나가고 있다. 안타깝게도 제20대 회장 때부터 합창단이 어려움을 겪어오고 있다. 다시 활성화 되어 회원 취미활동, 상호간의 친목도모 뿐만 아니라 대내외적으로 협회 위상을 높이는 데도 크게 기여하도록 하면 좋겠다.

VIP 해외순방, 즉 고 노무현 전 대통령, 이명박 전 대통령과 함께 경제단체 협회장으로서 통상외교 순방 때 동석하여 협회 위상 제고를 도모한 일이 보람으로 남아있다. 그래도 재직 중 잊지 못 할 일은 구매사절단으로 회원사 대표와 함께 세계 방방곡곡을 방문했던 일이다. 일에서 오는 보람도 컸지만 무엇보다도 여행에서 얻어지는 여러 가지 애환, 즐거움과 추억들이 더 컸다. 모두 고생도 많았지만 아름다운 추억들이 더 많았을 것이다. 그분들과는 지금도 "17 missions" 모임에서 만나고 있다. ㈜필고의 류영균 사장이 회장을 맡고 있다. 사모님이 멋쟁이이시다.

얼마 전 현 제21대 홍광희 회장을 만났다. 겸손함과 성실함이 몸에 배어있는 사람이다. 협회소식도 듣고 용산 재개발 추진 사업 등 여러 사업 설명도 들었다. 나름대로 열심히 회장직을 수행하고 있었다. 하지만 회원 수 늘리기가 쉽지 않고 재정적으로 어려움을 겪고 있다는 현실에 선배 회장으로서 안타까웠다.

금년은 협회 창립 반세기이다. 아무쪼록 세기의 반환점을 도는 시점에서 다시금 협회 회원사가 늘고 통상마찰의 해결사로서의 큰 역할이 재조명되고 정부로부터의 재정 지원이 현실화되기를 바란다. 궁극적으로 회원사에게 제대로 서비스를 제공하는 협회가 되는 동시에 대한민국 경제 발전의 한 축으로서 발전해 나가길 기원해 본다.

시장을 보는 정교한 눈이 필요하다

김 정 태 | 성산산업㈜ 대표이사

KOIMA 부회장

현대종합상사에서 직장생활을 하던 필자는 1991년 퇴사하면서 새로운 인생의 전기를 맞이하게 되었다. 당시 동구권이 자유화되면서 소련이 붕괴되던 시기였는데, 현대종합상사에서는 동구권 각 국가별로 지사를 설립했고 필자를 헝가리 지사장으로 발령냈다. 하지만 당시 동구권에 대한 막연한 두려움이 있었고, 가족과 떨어져 있어야 한다는 부분이 마음에 걸려 현지 파견을 마다하고 결국 퇴사를 결심하였다.

창업 후, 처음에는 기계류나 장비를 수입하여 현대중공업 등에 납품하는 프로젝트부터 시작했다. 그러던 중 홍콩 출장 중에 알고 있던 거래 파트너를 우연히 만나면서 변화의 계기를 맞이하였다. 이 파트너가 중국이 개방되면 어마어마한 기회가 있으니 그걸 준비해보라고 권유를 한 것이다.

1991년은 한국과 중국의 수교가 맺어지기 전이었지만 양국이 무역대표부를 설치하여 교류의 물꼬를 트고 있던 시기였다. 중국 시장이 사업체의 도약을 가능하게 만들 기회임을 직감했다. 이 파트너의 도움으로 다양한 루트의 중국 진출을 위한 물밑 작업을 진행할 수 있었고, 1992년 중고 굴삭기 2대를 수출하면서 첫 거래를 성사시켰다. 이는 한국에서 중국으로 중고 굴삭기를 수출하는 최초의 사례로 남아있다.

중고 건설장비 수출이 주력 사업인 비즈니스에서 가장 중요한 점은 환경에 따라 주요 판로를 시기적절하고 신속하게 변화시켜 나갈 수 있는 판단력과 그에 따른 시장을 보는 정교한 눈이다. 시장 환경과 향후 수출 가능성이 큰 국가들을 꼼꼼하게 타깃 리스트에 올려놓고, 세부적인 내용까지 파악하고 있어야 한다. 건설장비의 타깃 시장 중 하나는 광산을 들 수 있다. 한동안 건설장비의 주요 시장은 중국이었다. 하지만 중국 내 광산업의 침체가 이어지면서 동남아 시장을 겨냥하는 전략으로 선회한 것이 수출시장의 트렌드이다. 이러한 무역 시장의 흐름을 꿰뚫고 있어야 이 분야에서 시장 변화에 따른 신규 판로 개척이 가능하고 지속 가능한 비즈니스를 이어갈 수 있는 것이다.

사실 중고 건설장비의 수출은 관련 업계 모두가 이익을 볼 수 있는 윈윈 게임이라고 할 수 있다. 국내 조선업과 자동차산업의 침체로 인해 중고 건설장비가 매물로 많이 나오고 있는 상황이다. 누군가에게 위기이

향후 유망한 시장으로 아프리카를 생각하고 있다.
구체적으로 예를 들자면 이전의 수출 대상 지역이었던
모로코나 리비아 등지의 북아프리카가 아닌 사하라
사막 남쪽 아프리카 국가들의 가능성이 높다.

면 누군가에게 기회이듯 주변 산업의 침체는 중고 건설장비 수출시장에는 호재가 될 수 있다. 그리고 거시적 안목에서 보면, 무역업체는 수출을 해서 좋고, 조선소나 자동차 공장은 필요한 신규 장비를 매입할 자금을 얻어서 좋고, 제조업체 역시 신규 장비를 주문받을 수 있어서 좋으니 모두에게 기회라고 할 수 있는 것이다. 중고 건설장비 수출시장은 시장의 변화나 틈새시장에 민감하게 반응하면 예상치 않은 큰 기회를 잡을 수 있다. 다만 공급과 수요 모두 한정적이라서 국내 업체 간의 경쟁이 심화되는 것은 피해야 할 점이다. 국내 조선업과 자동차산업의 침체로 시장에 나온 국내 중고 건설장비의 주요 타깃은 동남아부터 인도 지역까지라고 할 수 있다.

1997년 12월 중국의 중고장비 수입이 제한되는 시점까지 중국 수출에 집중했다. 중고 건설장비뿐만 아니라 다양한 제품군을 취급하면서 사업 규모를 확장시켜 나갔다. 당시에 상해나 천진에 수출한 쌍용자동차의 믹서트럭이나 덤프트럭의 수를 셀 수 없을 정도가 되었다.

그러던 중 두 번째 변화의 시기가 다가왔다. IMF 구제금융 시기가 도래하면서 무역상사와 대기업에서 퇴사한 사람들이 쏟아져 나오고, 무역

회사가 우후죽순처럼 난립했다. 그것은 곧 건설 중고장비 수출의 경쟁사도 많아진다는 분석이 가능하다. 이들이 쉽게 접근하고 공략할 수 있는 베트남, 필리핀 등 동남아지역 시장이라는 생각이 들었다. 그래서 경쟁이 치열하지 않은 새로운 시장으로 눈을 돌렸다. 중동과 호주, 남미시장 개척이 그것이었다.

2000년대 중동 건설시장 개척도 기억에 남는다. 당시 중동에서는 두산이나 현대 못지않게 우리 성산산업이 널리 알려져 있을 정도였다. 성산산업이 거래했던 중동 국가들은 동쪽으로 파키스탄부터 두바이, 사우디아라비아, 쿠웨이트, 이집트, 알제리를 거쳐 아프리카 대륙 서쪽에 위치한 모리타니까지 이어졌다. 주력 수출품은 굴삭기, 크레인, 덤프트럭 등 건설장비였다. 중동시장 개척에 이어 호주와 남미까지 성산산업의 수출시장은 확대되어 갔다.

브라질, 아르헨티나 등 남미 대륙 동쪽은 물류비용 때문에 수출이 어렵지만, 멕시코부터 페루를 거쳐 칠레까지 태평양 연안국들에는 수출이 용이했다. 특히 페루의 경우에는 연간 수백만 달러씩 수출을 하기도 했다. 해외시장에서의 한국 중고 건설장비에 대한 선호도가 높았다. 2002년 월드컵이 지나면서 한국 제품에 대한 인지도가 높아져 해외 어디서든 한국 제품에 대한 선호도가 상승했다. 그 한 예로, 중국의 신제품보다 한국의 중고 제품을 우선 고려할 정도로 20년 전 삼성중공업에서 만들었던 50톤 크레인이 중국 신제품보다 비싸게 팔리는 경우도 있었다. 그만큼 해외에서 한국에 대한 인식이 좋아졌고 한국 제품에 대한 신뢰도가 높아진 것은 그동안 한국 기업들이 열심히 노력한 결과라고 말할 수 있다.

요즈음 수년 전부터 시장 환경의 새로운 변화가 감지되고 있다. 중국이 광물자원 수입을 줄여나가고 중국의 원유 값이 하락하면서 감지된 변화였다. 그로 인하여 건설장비 판로를 다시 바꿔나가는 중이다. 호주와 뉴질랜드에 수출하던 물량을 필리핀, 베트남, 말레이시아, 태국, 방글라데시, 인도 등의 국가들로 전환하는 전략이다. 중국의 광물 수입이 줄어들면 호주나 뉴질랜드의 건설장비 구매율이 떨어지는 시장 원리를 파악해야 한다. 본사의 주요 수출국인 호주나 뉴질랜드에 대한 시장조사는 물론, 수출국의 거래처인 중국의 시장 환경과 향후 수출 가능성이 높은 국가들까지 꼼꼼하게 분석하고 파악해야 한다.

향후 유망한 시장으로 아프리카를 생각하고 있다. 구체적으로 예를 들자면 이전의 수출 대상 지역이었던 모로코나 리비아 등지의 북아프리카가 아닌 사하라 사막 남쪽 아프리카 국가들의 가능성이 높다. 이 지역은 앞으로 젊은 세대가 공략해야 할 시장이라고 할 수 있다. 남아프리카의 경우 기후적으로 북아프리카보다 한국인들의 거주에 유리하다. 한국 제품 인지도에 있어서도 짐바브웨나 남아공 등 아프리카 남쪽 국가 지역이 높은 편이며, 실제로 사업을 진행했을 때 수익률 또한 높은 수준이다. 비즈니스의 비법은 환경 변화에 맞춰 빠른 전략의 전환과 틈새시장

공략이 중요하다. 이미 하강 국면에 들어선 시장에 연연해하다가 새로운 시장개척에 뒤쳐진다면 비즈니스 기회를 놓칠 수 있기 때문이다. 하지만 시장의 변화를 읽고 새로운 시장을 찾아내는 눈은 아무나 가질 수 있는 것은 아니다. 똑같은 데이터를 두고도 다른 해석을 내놓는 경우도 많다. 무역시장에 대한 경험과 노하우가 필요한 작업이기도 하다. 미래를 위해 젊은 세대에게 기회 제공과 경험이 요구되는 이유이기도 하다.

건설 중장비 시장에서의 성공 여부는 판매 이후의 사후관리에 있다. 중장비 수출에는 일반적인 제품 판매에서 통용되는 기간의 수준이 아니라 수년에서 십 년 이상의 A/S를 제공하는 것이 중요하다. 본사를 예로 들면, 주요 거래처는 아버지의 사업을 대를 이어 아들이 하고 있는 경우가 대부분이다. 할아버지와 아들을 거쳐 손자까지 이어지며 거래를 지속중인 경우도 있다. 삼대에 걸쳐 거래를 하고 있는 호주 바이어와 2대에 걸쳐 거래를 하고 있는 두바이 바이어 등 신뢰와 믿음이 비즈니스의 기본이 되는 것이다.

바라기는 뜻있는 젊은 사업가들이 세계를 상대로 비즈니스를 할 수 있는 기회가 있는 무역업에 보다 많이 진출할 수 있도록 기존 업계와 협회, 그리고 유관기관들에서 더 많은 지원과 힘을 불어넣어 주었으면 한다. 아직도 고부가가치와 기회가 열려있는 해외시장에 도전하는 이들이 많아지기를 기대해 본다.

광우병 사태를 되돌아보며

김 종 훈 | 전 외교부 통상교섭본부장, 제19대 국회의원

KOIMA위원회 위원

요즘 가끔 사회적 논란이 있는 이슈에 어떤 해법을 제시하면서 "촛불의 명령이다."라는 섬뜩한 말이 등장하는 경우를 보았다. 이 '촛불'은 그 시작이 2014년 4월 세월호 침몰로 꽃다운 나이에 세상을 떠난 젊은이들의 넋을 기리는 많은 국민의 애틋한 마음에서 비롯되었다.

그런데 이보다 6년 앞서 2008년 5월 서울 한복판이 촛불로 뒤덮였던 때가 있었다. 바로 광우병 사태라고 이름 지어진 미국산 쇠고기 수입재개를 둘러싼 논란이었다. 앞서 2007년 4월 협상이 타결된 한·미 FTA에 대한 한·미 양국 의회의 비준동의 절차가 꽉 막힌 채 진행되지 못하고 있던 것도 이 문제 때문이었고, 2008년 2월 출범한 이명박 정권 초기에 불어 닥쳐 큰 수난을 가져다준 문제이기도 하였다.

광우병

초식동물인 소에게 동물성 사료를 먹임으로써 변형된 단백질이 분해되지 않고 소의 체내에 쌓여 뇌세포를 파괴하여 소를 미치게 하고 결국 폐사에 이르게 하는 만성 진행성 병으로 알려져 있으며, 소의 뇌가 스펀지같이 변형된다고 하여 소해면상(Bovine Spongiform) 뇌증 - BSE - 이라는 병명이 붙어있다. 1985년 영국에서 최초사례가 발견, 보고된 후 중·동부 유럽을 중심으로 번져서 1992년에는 영국에서만도 3만 건 이상 발생하는 등 정점을 이루었다. 특히 과학적으로 인수공통(사람에게도 전파될 수 있다는 의미) 전염병의 가능성이 발표됨으로써 두려움의 대상이 되었다. 30개월 이하 소에서는 광우병 발생 사례가 거의 없다는 근거에서 국제수역사무국(OIE)과 세계보건기구(WHO)는 30개월 이하 소에서 뼈 등 특정 위험 물질을 제거한 살코기는 무해하다는 기준을 견지하였다. 1996년부터 동물성사료금지(Feed Ban) 조치가 각국에서 광범위하게 시행되면서 급격히 줄어 근년에는 발병이 보고되는 사례가 거의 없어졌다.

우리나라의 쇠고기 수입

1) 초기 단계

우리나라는 1967년 GATT(1948년 출범)에 가입하면서 비로써 쇠고기를 교역품목으로 양허(시장개방)하였다. 이후 국내에서 소 값이 폭락함에 따라 1984년 10월 '악화된 국제수지 방어를 목적으로' 쇠고기 수입을 중단하였더니 미국, 호주, 뉴질랜드 3국이 우리 측 조치가 부당하다고 1988년 GATT에 제소하기에 이르렀다. 다섯 번에 걸친 한·미간 협상을 거쳐 1993년 7월 합의를 이루었는데, 그 주요 내용은 ① 쇠고기 수입은 쿼터제로 운영하되 첫해인 93년에는 쿼터를 9.9만 톤에서 시작하되 이후 매년 7%씩 증량해 가는 것과 ② 이와 별도로 관광호텔 등에 대해서는 특별히 고급육의 자율적 수입을 허용하되 전기한 기본쿼터의 10%(즉 9.9천 톤)에서 시작하여 매년 10% 포인트씩 증량해 간다는 내용이었다. 지금 생각해보면 호랑이 담배 먹던 시절 이야기 같기도 하다.

2) 우루과이 라운드

어려운 협상을 거쳐 우리나라가 원가맹국으로 WTO 체재(1995. 1월 출범)에 동참하게 된 것은 국제적 위상 정립은 물론 수출시장 확보와 우리 경제체제를 선진화한다는 의미가 컸다. 쌀을 관세화 원칙에서 결국 예외로 인정받았지만, 그 과정에서 국내적으로 찬반의 큰 논란이 있었던 생생한 기억이 아직 남아있다. 쇠고기 수입도 결국 개방 폭이 확대되었는데, 그 내용은 ① 2000년까지 앞서 말한 쿼디제도를 유지하되 ② 95년 12.3만 톤에서 2000년에는 22.5만 톤까지 단계적으로 증량하고 ③ 양허관세를 43.6%에서 시작하여 2004년에는 40%로 인하, 고정하며 ④ 관광호텔 등에 허용하고 있던 자율수입제도도 확대해간다는 골자였다.

막바지에 촛불로 벌겋게 물든 광화문 광장 사진을 내놓고, 미측이 그렇게 신봉하는 과학으로 이 광경이 설명되겠느냐고 되물으면서 결국 이것은 정치적 상황이므로 타협이 필요하다고 강변하였다.

3) 미국 내 광우병 발생과 한·미 FTA

미국 내에서는 약 1억 마리 소가 사육되고 매년 약 3,700만 마리 정도가 도축 유통되고 있는 가운데 2003년 광우병 소가 3마리 발견(그 중 한 마리는 캐나다산)됨에 따라 우리나라는 같은 해 12월 미국산 쇠고기 수입을 중단하였다. 그 후 2년여에 걸쳐 양국간 밀고 당기는 협상의 결과, '30개월령 미만의 뼈 없는 살코기'만 수입키로 합의하였다. 그런데 이 합의에 따라 2006년 10월경 도착한 1,615개 미국산 쇠고기 박스 중 6개 박스에서 뼛조각 1~3개 총 11개 뼛조각이 발견되어 수입통관이 중단되고 또다시 수개월간 밀당이 있었다. 우리 측은 작은 뼛조각 몇 개도 뼈임에는 틀림없으니 미측이 합의를 위반하였다는 주장이었고, 미측은 어쩌다 섞여 들어간 뼛조각 몇 개를 문제 삼아 통관을 싸잡아 거부하는 것은 지나치다는 주장이었다. 논란 끝에 뼛조각이 발견된 박스만 반송키로 하고 해결된 것이 2007년 3월이었다. 이렇게 상호 성가시고 감정적인 분위기가 연출되던 시기에 2007년 4월 2일 한·미 FTA 협상이 서울에서 타결되었다. FTA 협상에서는 쇠고기에 대한 관세 40%를 15년간에 걸쳐 단계적으로 인하한다는 내용 외에 현안 중인 쇠고기 검역문제는 별개의 사안이라는 인식하에 FTA 협상에서는 다루지 않았다. 당시 이 문제에 관한 복잡한 상황은 2007년 4월 2일 한·미 FTA 협상이 타결된 그 날 노무현 대통령이 육성으로 발표한 대국민 담화에 잘 나타나 있다.

[대통령 담화 발췌 : .... 쇠고기에 대한 관세 문제는 FTA의 협상 대상이지만, 위생검역의 조건은 FTA 협상의 대상이 아닙니다. 따라서 이 문제는 원칙대로 FTA 협상과 분리하여 논의하기로 했습니다. .... 이렇게 한 것은 지난날 뼛조각 검사에서 한국 정부의 전량 검사와 전량 반송으로 인해 미국이 앞으로의 쇠고기 협상과 절차이행에 관하여 한국 정부가 성실하게 임하지 않을 것이라는 불신을 가지고, 뼈를 포함한 쇠고기의 수입과 절차의 이행에 관해 기한을 정한 약속을 문서로 해줄 것을 요구한 데서 비롯된 문제를 해결하기 위한 것이고, 쌍방의 체면을 살릴 수 있는 적절한 타협이었다고 생각합니다. 우리 정부는 이 약속을 지킬 것입니다. 이 약속을 성실하게 이행하면 쇠고기의 수입이 가능한 시기를 추정할 수는 있을 것이나, 그것을 기한을 정한 무조건적인 수입의 약속이라고 하거나 이면계약이라고 해서는 안 될 것입니다....]

합리적으로 해결하겠다고 한 대통령 담화 이후에도 수개월간 이 문제는 논의만 무성할 뿐 해법을 찾지 못하다가 그해 12월 대통령 선거에서 집권 민주당이 패배함으로써 다음 해인 2008년 2월 출범한 이명박 정부로 넘어가고 말았다.

촛불과 과학

2008년 5월 해진 뒤 광화문 광장은 촛불만 가득할 뿐 정상적 생활과 교통은 마비되곤 하였다. 두 가지 사건이 있었다. 하나는 새로 취임한 이명박 대통령의 방미(4.15-4.19)와 이때에 맞추어 타결된 미국산 쇠고기 수입재개를 위한 위생조건 합의(4.18)이었는 바, 이는 당시 방미를 계기로 한·미 정상간 신뢰 회복과 한·미 FTA 조기 발효를 위해서는 현안 중인 쇠고기 수입재개 문제를 조속히 해결해야 한다는 요구와 주장을 받아들여 정부가 취한 조치였다.

둘째 사건은 그보다 열흘 뒤인 4.29일 MBC가 방영한 '미국산 쇠고기, 과연 광우병에서 안전한가'라는 PD수첩 프로그램이었다. 이 프로가 방영된 후 촛불 시위와 함께 '뇌송송 구멍탁', '미친 소', '국민 말살 정책이 시작된다', '라면스프만 먹어도 광우병에 걸린다'와 같은 패러디 사진들이 인터넷에 떠다니고 그 중에는 '미국산 쇠고기를 먹느니 청산가리를 먹는 게 낫겠다'는 어느 연예인의 글도 있었다. 이 상황을 타개하기 위하여 정부는 광우병과 관련한 과학적 기준과 국민건강을 지키기 위해서라면 얼마든지 검역 조치를 취할 수 있는 우리 측 권한을 미측이 인정, 확인하는 등의 발표를 하였지만 별로 약발이 먹히지 않았다. 결국 6.13-6.19간 필자는 미측과 협상 테이블에 앉게 되었다. 지루한 공방이 있었다. 미측의 주장은 간단하고 강했다. 미국산 쇠고기를 먹으면 죽거나 인체에 해롭다는 과학적 근거만 있다면 어떤 나라가 사겠다고 해도 미국은 팔지 않겠다는 말을 되풀이하였다. 필자는 막바지에 촛불로 벌겋게 물든 광화문 광장 사진을 내놓고, 미측이 그렇게 신봉하는 과학으로 이 광경이 설명되겠느냐고 되물으면서 결국 이것은 정치적 상황이므로 타협이 필요하다고 강변하였다. 협상의 결과 30개월 미만 쇠고기임을 미연방정부양식을 통하여 확인하는 시스템을 만들고, 위험물질과 특정 혐오부위를 교역에서 제외하는 등의 합의를 이루어 이 문제는 일단락되었다.

이후에도 2009년 1월 이번에는 미국에서 행정부가 민주당으로 넘어가 오바마 행정부가 들어서면서 전임 부시 행정부가 타결한 한·미 FTA에 대한 볼멘소리가 터져 나왔고, 그 중에서도 월스트리트 발 금융위기로 허덕이던 미국 자동차 업계의 사정으로 한·미 FTA는 재협상의 곡절을 겪게 되었다. 협상과 촛불 사태, 그리고 재협상(최근에는 트럼프 대통령이 들어서면서 재재 협상도 있었다)이라는 기나긴 과정을 겪으면서 당시 필자가 느꼈던 것은 경제가 살아있는 생물이라면 정치는 요동치는 괴물과 같다는 생각이 들었다. 2006년 6월 1차 협상을 개시하여 2007년 4월 협상이 타결되었고, 2012년 3월에야 양국에 발효되었으니 실제 협상에는 10개월, 양국 의회 비준 동의를 거쳐 발효되는 데는 5년이 걸렸다.

멋진 "장보고의 후예"가 되자

김 한 규 | ㈜에이치앤드에이치 대표이사

KOIMA 이사

청운의 뜻을 품고 1993년에 처음 일본으로 유학을 떠날 때, 나는 대학에서 전공했던 기계 분야의 박사가 되어 후학을 가르치는 것이 꿈이었다. 그리고 그것이 실현되지 못한다면 국내 S 대기업에 입사하겠다는 인생 목표를 세웠다.

당시 23세의 나이로, 드디어 1월 5일 일본 땅을 처음 밟는 순간이었다. 그렇게 유학 생활을 시작하면서 나의 꿈은 현실과 부딪혔다. 낯선 외국 땅에서 언어의 절벽과 부딪히고, 결국 계획한 것을 변경하여 조기 귀국을 결심하게 되었다. 모자란 언어 공부를 극복하기 위해 학교에서 그날 배운 내용은 모두 외우는 각고의 노력을 기울여야 했다.

그렇게 2년간의 치열한 일본 유학 생활을 마치고 한국으로 귀국하였다. 귀국 후 큰형과 생활하며 직장을 알아보았다. 가진 것이 없으니 유통 쪽에 관심을 두고 직장을 알아보았다. 90년대 중반만 하더라도 외국어 능통자 우선 혜택이 많아 중견 유통회사에 취업했다. 그 후 얼마간의 경력을 쌓아 결국 대기업에 취업하게 되었다.

지금도 생각해 보면, 본인이 하고 싶은 일을 하는 것이 가장 중요한 것 같다. 막상 입사하니 회사 업무 외에는 일본어를 사용할 기회가 전혀 없었다. 일본어를 잊지 않기 위해 아침에 일찍 출근했다. 그 시간에 일어사전을 옆에 두고 일본어를 지속적으로 공부했다. 틈나는 대로 일본회사에 전문을 보내 우리 회사를 알렸다. 결국 일본에서 개최되는 전시회에 가는 일정에 맞추어 일본 현지 회사를 방문하는 기회를 얻었다. 그때 내가 일본어를 할 수 있었다는 것으로 회사에서 높은 평가를 받았던 것 같다.

그렇게 직장 생활을 하다 보니 일본과 좀 더 깊은 일을 하고 싶었다. 그것이 오늘의 회사가 있게 해준 무역 일이다. 내가 한국수입협회와 인연이 된 것도 95년경부터이다. 당시 무역대리점협회라는 명칭으로 기억이 난다. 무역 일을 하고 싶어 부역대리점협회에 전화를 걸어 회사를 몇 군데 소개를 받은 적이 있었다.

내가 지금 다니고 있는 회사를 그만둔다면 창업을 해야겠다는 마음을 먹었다. 막상 무역의 무자도 모르는 나로서는 쉬운 결정은 아니었다. 어떻게 인연이 되어 일본 오키나와에 본사를 둔 회사가 한국에 지사를 설립한다는 공고를 보고 지원했다. 당시 대기업을 그만두고 소기업으로 이직한다는 것에 대해서 주변에서는 우려를 나타내는 사람들이 많았다. 하지만 나는 모든 것을 감수하고 내가 하고 싶은 일을 실천에 옮길 수 있는 "장보고의 후예"가 되고 싶었다. 입사 후 6개월 뒤 오키나와 본사로 발령을 받게 되었다. 본사에 출근하니 기존 아이템이 식품, 음료, 잡화였다. 내가 할 수 있는 아이템이 없었다. 내가 뭔가 새로운 아이템을 추가하여 회사에 이익이 되게 해야겠다고 생각하고 시장조사를 다녔다. 눈에 들어왔던 것이 건설 현장이었다. 당시 2000년 초에는 일본 건설 경기가 좋았다. 어떻게 영업을 해야 할지 고민을 하였다. 마침 신문에 부록으로 들어오는 우리나라 교차로 생활 정보지 같은 것이 있었다. 일본에서는 주택 신문이라고 불렀다.

나는 책상에 앉아서 전화를 돌리기 시작하였다. 당시 나는 영업에 필요한 어떠한 무기도 없었다. 하지만 그들이 무엇을 원하는지를 듣고 싶었다. 말 그대로 '맨땅'에 헤딩하는 것이라고 할 만큼 어려운 방법으로 헤쳐 나갔다.

나는 한국에서 왔고 혹시 한국에서 수입하고 싶은 물건이 있느냐는 식의 상대방이 들으면 어이가 없는 질문이었을 것이다. 내가 팔고 싶은 것을 제안해야 하는데 말이다.

얼마 후 오키나와 대형 골프장의 골프텔에 욕실 시공에 물건을 공급할 수 있는 기회가 왔다. 그것이 당시에는 직장인으로서 처음 한국 제품

내가 겪었던 어려움, 실패, 성공의 순간들을 공유하는 것을 사회적 의무와 책임으로 느끼며, 무역은 능동적으로 '매의 눈'으로 먹잇감을 찾으며, 세계로 위상을 펼쳐 나아가기를 응원한다.

을 오키나와에 수출하는 계기가 된다. 매일 같이 책상에 앉아서 전화 영업을 하고, 영업 리스트를 만들기 시작했다.

처음에는 방문하는 회사 담당자들의 오키나와 사투리가 심하거나 연세 드신 분들이 말씀하는 것을 잘 알아들을 수가 없었다. 궁여지책으로 현지 여직원을 옆에 앉히고 다니며 모르는 말을 표준어로 바꿔 들어가며 영업을 하기 시작했다. 10개월 가까이 영업을 하면서 첫 오더로 변기 300대를 받아 납품하게 되었고, 그 후 납품 실적을 알리며 영업을 전개했다. 그 당시 나는 결혼한 지 2년이 채 안 되었는데 단신으로 오키나와에서 생활을 하다 보니 여러 가지로 어려움이 생겨 한국으로 귀국하기로 결정했다. 많은 아쉬움이 남는 오키나와 생활이었다.

귀국 시 경황없이 떠나 오느라 일본 지인 분들께 알리지 못하고 온 것이 맘에 걸려 뒤늦은 안부 전화를 드렸다. 그것을 계기로 그동안 영업을 했던 곳에서 나한테 오더를 더 주겠다는 의사를 밝혔고 사업에 대한 가능성을 볼 수 있게 되었다. 이러한 가능성을 보고 나도 정식으로 회사 설립을 하기로 마음먹었다. 당시에는 사무실 임차 여력도 없는 상황이어서 일단 집에 사무실을 차리고 시작했다. 팩스 한 대와 전화기 개설, 개인

사업자등록증을 내고 2002년 2월 14일 드디어 나 개인의 최대의 역사적인 사건인 나의 회사를 설립하게 된 것이다. 그 당시는 한창 건설 경기가 좋아서 정신 없이 바쁘게 일을 하였다.

내가 회사를 설립하며 만든 슬로건은 '내 행복이 우선이 아니고 상대방이 우선 행복해야 내가 행복할 수 있다'는 것이다.

회사 설립 당시 시작했던 건축 자재 아이템은 쉬운 분야는 아니었다. 공부를 많이 해야 했다. 집을 건축하기 위해서는 좋은 품질의 제품이 요구되기 때문에 일본에서는 건설 회사가 건축하고 나면 10년 보증을 내세웠다. 그만큼 건축에 사용되는 제품은 신뢰가 있지 않으면 채택되기가 쉽지 않았다. 당시 내가 제안하고 납품한 제품을 믿고 채택해 준 바이어분들께 너무 감사한 마음을 금할 길 없다.

나는 영업 아이템을 선정할 때 엄격한 기준으로 생각하는 것이 있다. 믿을 수 있는 품질과 가격이다. 일반적으로 가격은 중국산이 저렴하다. 그렇다면 품질과 가격을 동시에 만족할 수 있어야 했다.

우선 한국은 KS 인증, 일본은 JIS 인증이었다. 나는 우선 아이템을 선정할 때 JIS 인증 받은 제품을 우선적으로 조사를 하였다. 그 후 일본 시장가격을 조사하였다. 내가 판매하고자 하는 유사 제품들이 얼마에 판매되고 있는 지와 수입할 때 관세는 몇 %인지를 조사했다. 물론, 당시에는 일본 제품을 최우선으로 취급하였던 시절이라서 영업이 쉽지는 않았다.

20년이 넘는 기간 동안 지켜 오는 영업 방침으로 '정확한 납기'와 문제가 발생했을 때 누구의 잘못을 먼저 따지기 전에 '先조치, 後해결'을 하자는 마음가짐이다. 이러한 마음가짐으로 일을 했던 것이 설립 당시부터 오늘에 이르기까지 바이어와 신뢰를 이어 가는 데 도움이 되었다고 믿고 있다.

2005년, '100만 불 수출의 탑(대통령상)'과 무역협회 '이달의 무역인상'(전국에서 100만 불 분야 한 명 선정), 무역협회 회장상, 산업통상부 장관상, 2009년 지식경제부장관상, 2012년 지식경제부장관상, 2007년 중소기업 수출 전문가 위촉, 2009년 대일수출유망기업 100개 선정-지식경제부, 2009년 수출 대행 전문상사 위촉-무역협회 등을 하며 설립 당시 초심인 "장보고의 후예"로서 부끄럽지 않게 무역인이 된 것을 보람으로 생각한다.

최근 코로나19로 인한 심적 고통이 크지만, 사업을 하면서 더 어려웠던 시절을 생각하며 견디고 있다. "장보고의 후예"들에게 내가 겪었던 어려움, 실패, 성공의 순간들을 공유하는 것을 사회적 의무와 책임으로 느끼며, 무역은 능동적으로 '매의 눈'으로 먹잇감을 찾으며, 세계로 위상을 펼쳐 나아가기를 응원한다.

이제는 인터넷 발전과 정보 공개가 빠르기 때문에 쉽게 나만의 아이템을 찾기는 쉽지 않다.

발품을 팔아야 하고 전시회를 많이 다니면서 공부를 많이 해야 한다. 제조를 하고 수출을 원한다면 내가 제조하는 아이템이 상대 국가가 요구하는 인증을 갖추고 있는지 등을 조사하지 않으면 실패가 빨리 온다고 본다. 항상 역동하는 창의력도 가슴에 장착하기를......

수입협회와의 인연은 특별하다

문 흥 열 | ㈜에이치비콥 대표이사

KOIMA 제11대 회장

무역업에 투신한 이후 수입협회와의 인연은 특별하다. 1990년대 초반, 경제적으로 어려웠던 시기에 협회의 11대 회장을 맡아 협회의 발전에 작은 힘이나마 보탬이 되었다는 데에 보람을 갖고 있다.

1990년대 초에는 국제 정세가 급변하던 시기로, 한국의 경제 또한 위기와 기회를 동시에 겪고 있었던 때이다. 특히 중국의 개방으로 인해 새로운 시장의 등장과 더불어 새로운 시대를 맞이해야 하는 시기였다. 마침 중국과 국교 정상화가 시작될 때 중국 CCPIT 정홍엽 회장과 접촉 기회가 있어서 상호 협력하는 방안을 모색하던 중 협회와 자매결연을 맺은 것은 협회의 역할을 보여준 쾌거였다. 그 뒤 한국의 전경련, 상공회의소 등이 우리 협회를 공식적인 파트너로 대함으로써 협회의 위상을 높이는

당시 우리 협회의 경우 특별한 각오로 재정 건전화를 이루어 현금 100억 원을 조성하였다. 이는 회원사가 소속감과 자긍심을 갖는 계기가 되었다.

계기가 되었다. 당시에 중국시장 개척에 대한 공로를 인정해 산업자원부 김철수 장관이 우리 협회의 중요성을 인식하게 되었고, 무역특별지원금의 보조를 시작해 지금까지 긴밀한 관계를 유지하게 되었다.

또 협회는 태생적으로 항상 재정적인 문제를 안고 있기 마련이다. 하지만 당시 우리 협회의 경우 특별한 각오로 재정 건전화를 이루어 현금 100억 원을 조성하였다. 이는 회원사가 소속감과 자긍심을 갖는 계기가 되었다.

당시 정부가 추진하던 수입 오퍼업의 자동 신고제를 3년간 유예하도록 건의하여 3년간 허가제를 연장함으로써 회비를 기금으로 조성할 수 있었다. 이를 통해 협회 자산증식과 생존문제를 해결했다는 점에서 협회의 권익을 보호하는 데 일조했다는 자부심을 갖고 있다. 이제는 국내는 물론 세계적으로 뻗어나가는 협회의 위상을 보며 자랑스러운 마음을 금할 길 없다.

다음은 이전에 국내 모 일간지에 기고했던 내용인데, 작금의 현실에서 그 의미를 되새김해도 좋을 듯하다.

마크 W 리퍼트 주한 美 대사께

호러스 알렌(Horace Newton Allen). 갑신정변 당시 명성황후 조카 민영익이 친일파의 칼에 맞아 중태에 빠지자 고종은 독일 외교관 묄렌도르프 추천으로 알렌에게 치료를 의뢰했습니다.

알렌은 27군데에 자상을 입은 민영익의 상처를 명주실로 꿰매고 붕대를 감아 치료했습니다. 침을 놓고 약을 달여 먹이는 것이 치료의 전부였던 당시로선 획기적인 외과 치료였습니다. 나흘 만에 민영익이 소생하자 고종은 감복해 알렌 부부에게 예복을 내리고 알렌을 어의로 임명해 통정대부 관직을 주었습니다. 또 그의 의견에 따라 최초의 서양식 의료기관인 제중원을 설립했습니다.

제중원은 한국 현대 의학의 시초이며 당시 제일 천민이었던 백정의 아들을 교육시켜 한국 최초의 외과 의사를 탄생시킴으로써 신분제 혁파에도 기여하게 됩니다. 알렌은 또 서민과 대중을 위주로 선교활동을 펼쳐 한국을 세계에서 인구 대비 제일 많은 기독교 신도를 갖게 한 나라가 되도록 하는 초석을 놓았습니다. 주한 미국 공사로도 활약했던 그는 1905년 미국이 필리핀을 지배하는 대신 일본은 조선에 대한 독점 이익을 갖는다는 가쓰라 태프트 밀약이 체결되자 루스벨트 대통령을 찾아가 일본이 조선을 점령하면 안 된다고 강하게 반발했습니다.

1882년 조미(朝美)수호조약을 맺어놓고 미국이 조선을 버려서는 안 된다고 주장한 것입니다. 조선을 떠나면서 그는 'I fell with Korea(나는 한국과 함께 쓰러졌다)'라는 말을 남겼습니다. 그는 조선을 배반하지 않고 신의를 지킨 선교사이자 외교관이며 의사였습니다. 대사님, 100년이 지난 지금도 한국 국민이 알렌을 기리고 흠모하는 것은 그의 '진정성' 때문입니다. 한국과 미국이 우방이자 혈맹으로서 지역 안정과 세계 평화를 실현하기 위해서는 다시 알렌과 같은 분이 필요하다고 생각합니다.

미국·중국·일본이 동북아 패권을 놓고 각축을 벌이는 상황이지만 지금 한국은 경제 규모 10위권에 진입한 경제강국으로 동북아 안정에 큰 역할을 할 수 있습니다. 주한 미국 대사 임무는 미국의 국익을 위해서나 한국 외교 정책에 대한 국민적 합의를 이루는 데 있어서나 그 어느 때보다도 막중합니다. 알렌이 걸어온 길을 연구하신다면 대사님은 기대 이상의 성과를 거두고 한·미 양국을 잇는 가교로서 큰 공적을 세울 수 있으실 것입니다.

'뼛조각 사건'이 남긴 상처

민 동 석 | 전 외교통상부 제2차관, 한 · 미 쇠고기 협상 수석대표

KOIMA위원회 위원

'삐~' 경고음이 났다.

전국의 검역시험장에 비상이 걸렸다.

검역관들이 미국산 쇠고기를 실은 컨테이너에서 20kg 냉동 쇠고기 상자들을 꺼냈다. 그리고는 엑스레이 이물검출기에 하나씩 집어넣었다. 쇠고기에 3mm 정도로 작은 뼛조각 하나만 박혀 있어도 기계는 빨간불이 켜지면서 '삐~' 경고음을 냈다. 공무원들은 소리가 안 나면 다시 두 번 세 번 집어넣었다. 뼛조각을 발견하면 영웅(?)이 되는 분위기였다. 검역관은 마치 월척이라도 잡은 듯 상기된 표정으로 쇠고기 덩어리를 높이 들어 올리고, 기자들의 카메라 셔터 소리가 요란하게 터진다.

"작업 과정에서 어떻게 작은 뼛조각이 한 개도 안 나올 수 있지?" 정부 안에서도 우려와 비판이 나오기 시작했다. 소를 도축하여 가공하는 과정에서 뼈 부스러기 한 개 나오지 않게 살만 떼어내라는 것은 피 한 방울 흘리지 않고 살을 떼어내라는 것처럼 불가능한 일이었다. 문제는 손톱만 한 크기의 뼛조각 하나만 나와도 뼛조각이 들어있지 않은 쇠고기까지 컨테이너 채 미국에 되돌려 보내버린 데 있었다. 식품은 전수검사를 하지 않고 샘플검사를 하는 것이 국제관례임에도 미국 쇠고기에 대해서만 수백 개 쇠고기 상자를 전부 검사했다.

뼛조각이 문제가 된 것은 2006년 9월 한 · 미 간 합의사항 때문이었다. 2003년 12월 미국에서 광우병 소가 발견되기 전까지만 해도 우리나라는 부족한 국내 물량을 주로 미국 쇠고기로 채웠다. 그런데 미국에서 광우병 소 두 마리가 발견되자 미국 쇠고기 수입을 전면 중단했다. 2년 후 수입을 재개하면서 '뼈 없는 살코기'로 제한했다. 미국 쇠고기가 들어오지 못할 때 송아지 값이 뛰고 한우 가격이 올라 재미를 톡톡히 보던 축산업계는 미국 쇠고기가 다시 대량 수입될지 몰라 촉각을 곤두세우고 있었다. 구실은 뼛조각뿐이었다. 국회 농수산위원회에서는 연일 농림부 장관에게 "뼈는 광우병 위험이 있으니 절대 못 들어오게 막아야 한다."며 강도 높은 대응을 요구했다. 정치인 출신 장관은 "뼈는 뼈고 살은 살이다"라며 뼛조각 하나만 나와도 결코 용납하지 않겠다고 호응했다. 그러다 뼛조각 사건이라는 무리수가 나온 것이다.

뼛조각을 이유로 미국 쇠고기가 세 차례나 전량 반송되자 미국 축산

업계와 의회는 분노했다. 바이런 도건 상원의원은 "현대자동차가 미국에 매년 70만 대의 자동차를 수출하는데 전부 검사하여 한 대라도 안전성에 문제가 발견되면 70만 대 모두 돌려보내자."고 격앙된 반응을 보였다.

한미 FTA 체결에 막강한 영향력을 가진 맥스 보커스 상원 재무위원장은 한미 FTA를 파기해야 한다는 강경한 입장을 내비쳤다. 한국정부에 대한 미국의 신뢰가 떨어지면서 한 · 미 통상관계는 최악의 상황으로 치달았다. 미국은 한국이 미국과 아예 통상을 하지 말자는 것으로 여기는 분위기였다. 한 · 미 간 통상관계가 뒤틀리고 있는 상황에서 2008년 4월 11일 미국산 쇠고기 수입위생조건에 관한 협상이 시작됐다. 미국 수석대표는 한국이 국제기준을 따르겠다고 약속했다면서 미국 쇠고기 교역에 아무 제한을 두지 말 것을 요구했다.

나는 협상 중단까지 선언하는 등 극단적인 상황에까지 몰고 가면서 피 말리는 협상 끝에 미국으로부터 국제기준보다 더 많은 양보를 받고 협상을 타결했다. 그런데 예기치 않은 문제가 일어났다. 협상을 타결한 지 열흘 뒤 MBC PD수첩 보도였다. 거짓과 과장으로 가득한 명백한 왜곡 보도였다. 나는 경악했다. 방송을 보면 3억의 미국인 주식인 쇠고기는 이미 식품이 아니라 독극물이 되어 있었다. 진행자는 내가 '친일 매국노'라며 직격탄을 날렸다. 방송은 가공할 힘을 발휘했다. 광우병 괴담이 인터넷을 통해 급속도로 퍼져나갔다. 미국 쇠고기를 먹으면 모두 광우병에 걸려 뇌에 구멍이 송송 뚫려 죽는다는 내용이었다. 미국이 안전한 것은 자기네가 먹고 위험한 쇠고기는 모두 한국으로 보낸다는 괴담이 국민들의 분노를 부채질했다.

사람들이 광화문과 서울광장으로 나섰다. 쇠고기 문제는 애초부터 구실에 지나지 않았다. 평화시위처럼 보이던 모임이 어느 순간 폭동으로 변했다. 촛불 뒤에는 어느새 격렬한 정권 타도 문구가 들어서 있었다. 나의 인형이 화형식을 당하고 있었다. 나는 평생 처음으로 온몸이 떨리는 공포를 느꼈다. 나도 모르는 사이에 나는 이 사회의 엄청난 태풍의 눈 속에 있었던 것이다. 격렬한 촛불시위는 석 달 넘게 계속됐다. 나는 연일 계속되는 청문회에 이어 국회 국정조사 증인으로 불려갔다. 진실을 밝힐 기회라는 기대는 단번에 무너졌다. 의원들은 협상 결과를 '한미 정상회담에 바친 선물', '미국에 조공을 바친 것'이라고 몰아쳤다. 협상대표로서 나는 심한 모멸감을 느꼈다. 나는 의원들의 주장에 반박했다.

"선물을 줬다고 그러시는데, 선물을 줬다면 오히려 미국이 우리한테 준 편이라고 생각합니다." 의원들이 테이블을 치며 고함쳤다. 국회가 순식간에 아수라장으로 변했다. 야당 의원들은 내게 사과를 요구하다 집단 퇴장했다. 그러고는 5개 야당 합동브리핑으로 나를 집중 성토했다. 그날 나는 또다시 철저히 망가졌다. 하지만 더 이상 '미국에 선물로 몽땅 바쳤다'는 말도 나오지 못했다. 그렇게 국정조사가 막을 내렸다. 석 달 넘게 전국을 붉게 물들인 촛불도 점차 꺼지기 시작했다.

국가 간 통상 협상이란 한쪽이 일방적으로 이기고 지는 '올 오어 낫싱(All or Nothing)' '제로섬' 게임이 아니다. 크건 작건 하나를 얻으면 다른 하나를 양보해야 협상이 이뤄진다.

쇠고기 협상이 타결되자 한 · 미 관계는 빠르게 신뢰를 회복했다. 미국은 한 · 미 정상회담에서 한국의 '미국 비자면제프로그램(VWP)' 연내 가입을 위해 노력하기로 약속했다. 우리나라 청년들이 매년 5,000명씩 미국에서 연수하고 인턴으로 일하는 '웨스트(WEST) 프로그램'도 시행하기로 합의했다. 이명박 대통령이 독도 지명 표기 문제로 어려움에 처했을 때 부시 대통령은 바로 원상회복을 지시했다. 미국에서는 보기 드문 일이었다. 특히 그해 말 세계적인 외환위기가 터지자 미국은 300억 달러의 한 · 미 통화스왑에 합의해 주었다. 그 덕분에 한국은 다른 나라보다 빨리 위기를 극복했고 G20의 일원이 될 수 있었다. 미국은 또한 호주, 일본 수준으로 한국의 군사장비 구매 지위를 격상시켜 주었다. 뻿조각 사건으로 땅에 떨어진 한 · 미 관계가 쇠고기 문제의 해결로 정상으로 회복되지 않았으면 불가능했을 일들이었다.

국가 간 통상 협상이란 한쪽이 일방적으로 이기고 지는 '올 오어 낫싱(All or Nothing)' '제로섬' 게임이 아니다. 크건 작건 하나를 얻으면 다른

하나를 양보해야 협상이 이뤄진다. 그런데도 한 · 미 FTA 협상 때 한국이 미국에 종속된다느니 악의적인 공격이 많았다. 한 · 미 FTA 비준을 추진하는 가운데 국회에 해머가 등장하고 최루탄 가스가 터졌다. 그런데 트럼프는 한 · 미 FTA가 미국에게는 '재앙'이라고 했다. 미국 쇠고기가 위험하다는 사람들의 주장대로라면 지금쯤 수많은 한국인이 광우병에 걸려 죽었어야 한다.

지금도 미국 쇠고기를 먹으면 광우병 걸린다고 울부짖는 사람이 있을까. 뼛조각 사건은 국가관계의 큰 그림을 보지 못하고 국민 정서에만 부합하려는 데서 나온 실책이었다. 다시는 이런 책잡히는 행동을 하지 말아야 한다. 특별한 자원 없이 무역으로 먹고사는 나라가 사는 길은 명분보다 실리를 좇는 것이 아니겠는가.

K-Culture의 시작, 세종대왕

민 승 동 | 에스디엔지니어링 대표

KOIMA 연수원장

K-Culture가 전세계를 뒤흔들고 있다. 우리나라 상품에 프리미엄이 붙고 있는 여러가지 이유 중에 분명 문화, 예술도 한몫하고 있다고 생각한다.

기업의 이익에만 편중된 상거래 관리법이 윤리관의 저하(低下)나 차별성의 상실(喪失) 등 다양한 문제를 일으킬 수 있다는 사실을 지적하고, 앞으로 지향해야 할 새로운 방식은 문화교류와 같은 예술적인 측면을 중시해야 할 것이다. 특히 최근에는 경영자를 중심으로 많은 이들이 국가간 상거래에서 무역과 문화교류의 재조정이라는 문제에 대해 다양한 논의를 하고 있다. 개별국가의 문화가 다양화되고 이를 적절한 문화상품으로 개발한다면, 이를 통해 무역의 증대로 이루어질 수 있을 것이다.

이제는 우리의 문화유산인 한글을 조선시대의 유물로만 생각하는 올드타입에서 벗어나 우리글에 대한 콘텐츠 연구개발 등 뉴타입의 사고방식으로의 전환이 요구된다.

이러한 측면에서 우리의 대표적인 문화유산인 한글을 무역의 측면에서 재조명할 필요성을 절실히 느낀다. 훈민정음해례본[訓民正音解例本]은 1446년에 편찬돼 574년간 이어져 내려온 우리 고유의 문화유산이자 인류문명의 보고로서, 우리의 정체성을 가장 잘 드러낼 수 있는 대표적인 대한민국의 문화유산이다. 역사상 글자 창제, 발표, 교육, 보급이 순차적으로 한 시대에 이뤄진 사례는 한글 말고는 없다. 특히 한글은 하늘(•) • 땅(–) • 사람(ㅣ)의 형상과 발음기관의 모양을 본떠서 그 구조가 독창적이고 과학적인 글로, 세계적으로 그 유례가 없는 독특한 문자구성을 창출해 낸 것이다. 일찍이 세종대왕은 자주정신의 발로에서 훈민정음을 창제하여 인류의 역사를 우리 문자로 기록한다는 주체적 문화 사상을 가지고 있었다.

특히 한글을 보급하는 과정에서 한글서체는 훈민정음해례본의 형태를 벗어나 실용적인 면에서 변화를 가져왔다. 그렇게 해서 한글 궁체가 생겨난 것이다. 한글 궁체는 오늘날 한글을 통한 우리 문화의 우수성을

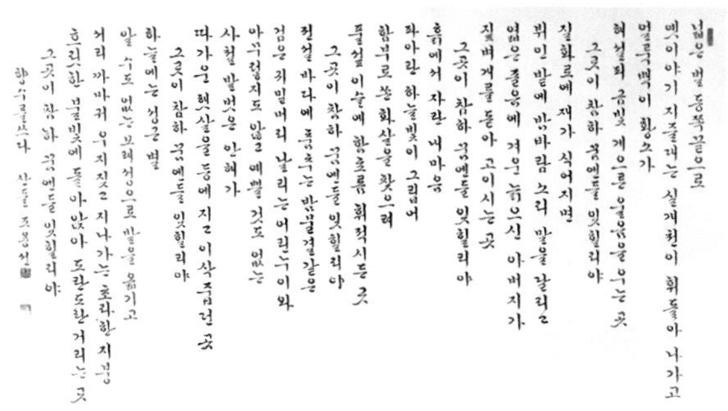

산돌 조용선 여사의 궁체 작품

입증하는 중요한 요소로 그 가치를 드높이고 있다. 우리나라의 한글서체, 특히 궁체는 한문의 수입으로부터 시작되었다. 궁체의 정자는 한문의 해서, 흘림은 한문의 예서나 전서, 진흘림은 한문의 초서를 병행해서 응용한 것이다. 글자 획의 변화나 골격의 차원이 힘있게 형성되었다. 한문의 필획을 한글 획에 접목하였고, 한문서예의 많은 비법을 우리 문자에 주입, 접목해 새롭고 품격 높은 차원으로 끌어올렸다. 한문서예와 비견할 높은 격조로 창출해내어 한글 궁체의 품격과 다양함을 늘릴 수 있었던 것이다.

한글은 분명 K-Culture의 시작이며 앞으로 우리나라의 무역을 선도하는 중요한 상품으로 성장하리라 확신한다. 그 최일선에 90세를 넘긴 필자의 어머니가 계신다. 세종대왕의 한글 글로벌화 정신에 부응하여 전 세계적으로 한글서체의 보급에 반세기 동안 앞장서 왔던 원로 서예가이자 '제40대 신사임당 상'을 수상한 내가 가장 존경하는 나의 자랑스러운 어머니 산돌 조용선 여사. 어머니는 조선 순조 셋째 딸 덕온공주의 손녀인 윤

백영 여사로부터 한글 궁체 글씨를 계승한 현존하는 유일한 분이다. 특히 어머니는 아시아, 유럽 및 북남미 등 전 세계를 방문하여 한글서체(궁체) 개인전 및 초대전시회를 통해 우리 한글의 유래 및 우수성을 알리고 있다. 또한 각국의 대사관, 미술관에 작품의 판매 및 기증활동도 같이 하고 있다. 지금 세계가 열광하는 한류는 어머니처럼 수십년 동안 묵묵히 활동하신 분들의 노력이 쌓이고 쌓여서 만들어진 것이라 생각한다.

필자의 어머니께서 한글 보급에 열정을 바쳤던 일화를 하나 소개해본다. 2010년 7월에 워싱턴DC에 있는 주미한국대사관 초청 전시회가 워싱턴 한국문화원에서 있었던 일이다. 현지방송사, 언론사와의 인터뷰와 미국 워싱턴의 세계적인 명물 박물관인 스미스소니언박물관(Smithsonian Museum)의 수석 Director인 Dr. Taylor의 인사말 참여 등으로 한글전시회에 대한 관심이 워싱턴 지역사회를 들끓게 했다. 이와 함께 문화원 주변의 지역 주민들에게 어머니의 시연회 및 사인회를 개방했는데 남녀노소 불구하고 수많은 사람들이 어머니에게 자기이름을 한글로 받고 싶어서 줄을 서서 기다렸다. 또한 어머니가 대한민국의 유명한 서예가라는 것을 알고 2번 3번 요청한 사람도 있었다. 그러나 어머니께서는 고령임에도 불구하고 3시간 정도의 긴 시간에도 한글의 보급이라는 사명감으로 원하는 모든 사람들에게 한글로 이름을 써주고 사인회를 성황리에 마쳤다.

문화교류를 통해 지구상의 모든 민족에게 문자를 보급하여 한글문자로 지구촌이 하나가 되는 구상이 가능하다. 또한 문자 보급을 통해 문화적으로도 문자 없는 민족의 언어를 영원히 보존하여 귀중한 지구촌 언어가 사라지는 것을 방지할 수 있다. 이 일은 또한 대한민국이 문화 수출 선진국으로 가는 데 가장 필요하고, 손쉬운 방법이기도 하다. 이제는 우리의 문화유산인 한글을 조선시대의 유물로만 생각하는 올드타입에서 벗어나 우리글에 대한 콘텐츠 연구개발 등 뉴타입의 사고방식으로의 전환이 요구된다. 인류역사에 길이 기록될 한글로 지구촌 곳곳에 우리글 콘텐츠의 수출이 가능하도록 만드는 것이 후손된 우리의 사명일 것이다. 그것이 훈민정음 창제 서문에서 밝힌 세종대왕의 민족에 대한 '애민정신'이 인류애로 승화되는 계기가 될 것이다. 아울러 이러한 문화유산을 바탕으로 무역의 선진화를 이루는 것이야말로 574년 전에 훈민정음을 창제한 세종대왕의 숭고한 뜻을 조금이라도 받드는 일이 되지 않을까 생각해 본다.

궁체 : 궁녀들만이 쓴 한글을 말함이며 궁녀체가 줄어 궁체가 된 것이지만, 한글의 실용적, 필사적인 면이 강화되는 시기에 기호 형태의 원형 문자를 편리한 형태로 재구성하면서 변화를 가져왔다. 이는 궁중에서 철저한 교육 아래 숙련된 필사자를 선발하는 계기가 되었다. 그리고 이들을 궁중생활에 적극 참여시키고, 필사의 주된 서체를 궁체로써 그 영역을 확대 활용하면서 점차 그 완성도를 높여갔다. 이러한 점에서 궁체는 자연적으로 형태 변화를 가져온 일반적인 서체와는 그 가치를 달리한다.

1980년 화학공장 건설과 공장건설용 기자재 수입에 대한 회고

박 사 범 | ㈜에스비피자원 대표이사

KOIMA 이사

협회 창립 후 10여 년이 지난 1978-1980년 화학공장을 건설하면서 겪은 공장 건설기자재 수입 경험과 관련한 경제 상황을 회고해보고자 한다. 지금도 전문 오퍼 무역업을 하고 있는 엔지니어 겸 경영진단사인 필자에게 당시의 경험은 소중한 기억으로 남아 있고, 이를 회고해보는 것 또한 귀한 기회라 여겨진다.

1979년 당시 수출 3대 품목은 섬유제품, 화물선, 의류로서 수출총액의 7%를 차지했으며 수입 3대 품목은 원유, 면화 등 원자재로서 수입총액의 21%를 차지했었다. 반면 현재 2019년 수출 3대 품목은 메모리, 화학제품, 전자회로로서 수출총액의 19%를 점하고 있고, 수입 3대 품목은 원유, 천연가스, 경유 등으로 수입총액의 21%를 차지하고 있다.

1980년에는 모든 기업의 생산기술 및 기획부서가 수입품 대체 생산이 가능한 국내 생산 공장의 필요성을 절감하고 공장건설에 도전했었다. 제조업이 산업의 중심이었고, 대부분의 사업가와 금융 · 언론 · 무역인 및 엔지니어들이 큰 자부심과 보람을 느끼던 시기이기도 했다. 수출만이 무역적자를 극복하며 살길이라 여겼던 경제 상황이었고, 애국심이 강해 국산품 애용을 강조하던 시기였으며, 자본의 생산성이 가장 높았던 시기였다고 생각된다.

당시 수입환경을 살펴보면, 한국수입협회의 역할이 매우 중요한 기능을 발휘하던 시기로, 1978년부터 정부 위임으로 수입선 다변화품목 확인업무를 수행하였고, 1981년에는 수입품 감시품목 확인업무를 수행하며 수입업계의 중심역할을 감당했었다. 1978~1980년 기간에 수입기자재 수입허가의 경우 1천만 불 이상의 산업건설용 수입기자재는 '국산화심의위원회'의 일괄심사에 의거했고, 1천만 불 이하의 산업건설용 수입기자재는 상공부 품목별 담당과의 확인을 받아야 수입이 가능했다. 그 예로, 화학공장용 특수 내산 펌프를 수입하려면 국내 전문 펌프회사에서 생산 불가 확인서를 받아야 상공부 기계공업과에서 수입승인을 받을 수 있었다.

특히 1979년에는 수입총액이 수출총액 대비 35% 이상 초과되는 무역역조가 발생하면서 공장건설 시설기자재의 수입비중은 공장건설 프로젝트별로 지정되었고, 전기분해산업의 경우 50%를 초과할 수 없었다. 따

에너지 소비 증가는 인구 증가 대비 8배의 속도로 많은 소비를 하고 있으며, 연료별 자원이 없는 대한민국은 원자력발전의 의존도를 높이는 것이 최선의 선택이라고 본다.

라서 공장건설 기획 엔지니어는 수입기자재의 수입가능성, 해외 우수 공급자, 국내 제품의 이용가능성 등의 타진에 많은 시간과 노력을 기울여야 했다.

이 시기에 해외공급자의 국내 무역대리점들은 우수한 제품과 기술을 국내에 소개하고, 국내 합작회사 설립을 국내 업체와 해외공급자에게 권유할 기회를 가지게 되었다. 1980-1990년대 오퍼 발행업을 했던 많은 분들이 생산기업체 합작회사(JV company) 설립에 동참한 이유이다.

수입총액이 1백만 불 이상 되는 모든 품목은 많은 기업가 및 개인이 타당성을 검토하고 투자로 이어져 1980-2000년 20년간 우리나라 산업은 괄목할 만한 성장을 이루게 되었다. 아울러 외국어에 능통한 사람이 주로 오퍼 발행업 및 무역업을 하던 시절도 지나가고, '엔지니어링 세일즈(Engineering Sales)'라는 개념의 기술영업이 도입되는 전환기를 맞이했다.

한편 1978~1980년 제조업 공장건설 여건은 녹록치 않아 공장건설을

시도하는 화학공학 엔지니어들에게는 시련의 시기이기도 했다. 먼저 전기사용량이 많은 공장의 경우 한국전력주식회사에 사전 수용신청을 하여 인가를 받아야 했다. 이는 주 공급선에서 공장까지의 인입선 비용이 수용가(전기를 쓰는 사람) 부담이었을 뿐만 아니라 단전 시 많은 피해나 사고 발생이 우려되는 공장은 자가 발전기를 별도로 설치해야 했다. 또한 공장부지의 선정에도 어려움이 있어 산업기지개발공사의 협조를 받더라도 원하는 부지를 확보하기가 쉽지 않았다. 따라서 공장 건설에 대한 의지와 자금이 있다고 해도 사업이 원활히 진행되기는 어려웠다. 공업용수의 확보도 난관이었다. 주 공업 용수공급원이 먼 거리에 있을 경우 인입배관 공사비도 적지 않았고, 단수에 대비하여 공장 자체 용수저장시설을 설치해 2일간의 사용량도 확보해야만 했다.

2020년 현재, 공장 건설을 위한 이러한 기반시설 문제는 많이 개선되어 걱정이 해소된 부분이 있으나 새로운 당면문제에 대한 해결방안을 모색할 필요가 있다. 점점 어려워지는 노사문제, 범위가 확대되는 복지문제, 근로여건의 획일화에 따른 구조문제, 인력의 수급문제, 에너지 선택 및 수입원료 선택과 공장의 제조 원천기술 확보 등 새로운 문제들이 등장했기 때문이다.

또 다른 한편 1980년대 화학공장 건설과 공장건설용 기자재 수입을 진행하며 절실히 느꼈던 점은 앞으로 우리나라가 원자력발전을 보다 발전시키고 유지해야 한다는 것이다.

1979년 화학공장 건설 시 해당 제품을 전 세계적으로 가장 고품질로 공급하는 프랑스의 전기분해 공장을 방문한 바 있다. 알프스산 아래에 있는 지방도시 샹잔 모리엔 공장이었다. 가장 최첨단의 티타늄 전극과 고전적인 탄소 전극의 신형 전기분해설비와 구형 전기분해설비가 함께 운영되고 있었고, 어떻게 경쟁력을 확보하는지 비밀 아닌 비밀을 알게 되었다. 알프스 골짜기 큰 낙차의 수력발전소가 그 공장의 소유였기에 격차가 매우 큰 전력단가를 이길 경쟁사는 없겠다는 결론을 내렸다.

1980년에는 우리나라의 전력단가가 국제 전력단가보다 높았지만 미국, 프랑스, 일본의 수입제품과 경쟁할 수 있다는 근거로 사업이 진행되었다. 국내 전기사용 부하대(최소, 최대, 심야 등)에 따른 차등 요금체계를 이용하고, 원자력발전에 의한 전기 공급비율이 30%에 이르면서 겨우 수입제품의 대체 역할을 할 수 있었다고 본다.

에너지 소비 증가는 인구 증가 대비 8배의 속도로 많은 소비를 하고 있으며, 연료별 자원이 없는 대한민국은 원자력발전의 의존도를 높이는 것이 최선의 선택이라고 본다. 우리나라가 기대할 수 있는 보다 큰 국가적 먹거리는 없다고 본다. 중국, 러시아, 인도가 원자력발전소 건설과 가동에 집중하고 있고 향후 10년간 원전공급국가로 성장하려고 최선의 노력을 기울이고 있으며, 현재 세계 각국이 검토하고 있는 원전의 수는 329기로 추정하고 있다. 특히 한국의 원전 건설능력은 미국과 유럽의 인증을 모두 받았으며 중국, 러시아, 인도가 노력하는 원전건설 수주에 경쟁할 수 있는 국가적인 기술적, 경험적 우위를 이미 확보하고 있어 유리한 고지에 있다.

마지막으로 공장건설 경험과 수입환경의 변화 및 에너지 공급원 관리에 대한 소회를 해보면 제조업을 중시하는 사회적 분위기의 유지가 절실하다. 정치·금융·법률·경영·의술·교육·교역 등이 모두 중요하지만 인간 활동의 가장 기본이 되는 의식주 문제해결에 있어 중심역할을 하는 제조업을 국가, 사회적으로 귀히 여겨야 한다고 본다.

시대의 흐름과 세계적 추세에 따라 제조업의 비중, 제조시설의 선택, 수출입의 국가정책과 국제협력 방안은 국민의 공감과 선택에 따라 다소의 영향을 받을 수 있으나 1980~2020년을 '축적의 시간'이라 인정하고 쌓아온 경험·기술·투자 자산을 활용하는 노력이 필요하다. 신기술 개발과 선택만이 최선의 방향은 아니라고 본다.

이번 회고를 하면서 여러 가지 사회적 현안 중에서 빨리 제자리를 찾아야 하는 꼭 한 가지만 택하라고 한다면, 원자력발전과 관련한 기술·시설·인재의 활용을 보다 발전시키고 유지하는 것이라 하겠다.

쓰라린 추억(단상)

박 상 기 | 상화무역 대표

전 KOIMA 고문

무모하다고 할 만큼 용기를 갖고 시작한 결단이 확고한 성공 동기가 된 것이 아닐까!

먹고 살기 위해 무언가 하지 않으면 안 되는 간절한 시기가 있었다. 1976년, 35세의 나이로 시작한 두 번째 사업인 오퍼업이 내 인생의 변곡점이었다. 당시 다섯 식구를 거느린 가장이었으나 손에 쥔 건 고작 전세금 200만 원이 전부였다. 절박한 시기에 처남의 조언으로 시작한 사업이 코냑 및 스카치위스키(와인)를 수입 대행하는 오퍼업이었다.

지금 생각하면 참으로 무모하기 짝이 없는 사업의 시작이었다. 무역업무는 물론 외국어도 잘 못 하는 처지였으며, 더구나 사무실과 집기 비품마저도 갖출 수 없는 상황이었으니 참으로 당돌 그 자체였다. 살고 있는 집을 사무실로 삼았고, 아내가 유일한 직원으로 전화를 받았다. 텔렉스는 다른 사무실 것을 빌려 사용했고, 우편물은 CPO BOX로 받는 등 열악한 사업의 시작이었다. 다행히 선뜻 도움을 준 이 사람 저 사람에게 창피를 무릅써가면서 무역 업무를 배웠다.

그 후 어렵사리 맺어진 한국관광공사와의 거래를 비롯한 국내 및 해외 거래처들과의 관계, 그러면서도 매번 입찰에 떨어져 해외 거래처로부터 대리점권을 잃을 뻔했던 지난날의 일화들은 참으로 눈물겨운 일들이 아닐 수 없다. 어느 땐가는 입찰에 성공해 놓고도 돈이 없어 보증금은 이행보증보험으로 대체하고, 납품일이 맞지 않아 지체위약금을 물거나 아니면 입찰 계약 자체를 포기해야 하는 경우도 있었다.

이러기를 수십 차례 경험하다가 마지막 히든카드를 쓸 수밖에 없었다. 그것은 다름 아닌 일생일대의 승부를 거는 모험이었다. 선천적으로 남에게 신세 한 번 져보지 않았고 아쉬운 소리 한 번 해보지 못한 성격이었기에 빚을 내어 사업을 한다는 것은 상상조차 할 수 없었다. 그러나 굶어 죽는 것보다는 살아야겠다는 절박함에 사로잡힌 순간 불법과 도둑질이 아니라면 그 무엇도 할 것 같은 생각이 들었다. 그리하여 친지들을 찾아다니며 구걸하다시피 돈을 빌렸으며 집주인에게 이자 돈을 빌리기를 수차례, 그래도 부족한 자금은 은행과 사채를 동원하여 6백만 원이란 거금을 만들었다. 만일 사업에 실패하면 죽기를 각오한 마지막 순간이었다.

며칠 후 무작정 프랑스로 날아갔다. 거래처인 CASTILLON 코냑 사를 방문하였다. 서투른 영어로 손짓 발짓 해가면서 나의 의사를 밝히고 동양 사람들의 기호에 맞는 비즈니스 스타일을 설명하고, 제품의 케이스(BOX)와 라벨을 밝고 화사한 색상으로 바꾸어 줄 것을 요청하였다. 세계적인 메이커의 입장에서 보면 자신의 브랜드인 라벨을 바꾸어 준다는 것은 대단히 어려운 일이었다. 그럼에도 불구하고 CASTILLON 사장은 나의 열정과 신뢰성에 자극을 받은 양 며칠을 두고 생각한 끝에 한국에 수출할 코냑에 한해서 나의 요구조건을 들어주었다. 그때의 기분은 마치 하늘을 날아갈 것만 같았고 세상의 모든 돈이 다 내 것이 된 듯 기쁘기 한이 없었다. 이윽고 그날 저녁은 CASTILLON의 사장 및 직원들과의 즐거운 술자리를 마련하고, 다음날 포도밭과 주정공장을 둘러보았다. 첫 계약을 성공리에 마친 여세를 몰아 독일의 카잘 선글라스사와 대리점 계약을 맺고 이탈리아를 들러 귀국길에 올랐다.

그로부터 3개월이 지난 어느 날 CASTILLON 코냑 사로부터 제품이 도착하였다. 당시 주류(코냑, 스카치)는 김포·김해·제주공항 면세점에서, 시계, 선글라스, 화장품 등은 공항과 호텔 등 면세점과 일부 시중에서만 취급되었다. 많은 양의 제품을 일시불로 결제하고 창고에 보관해 놓고 판매를 하니 비용도 절감되고, 거래처로부터 신뢰도 더 쌓여 제법 재미있는 사업으로 성장하기에 이르렀다. 그러는 과정에 양주 케이스(BOX)와 병을 직접 디자인해 영국으로 수출하면서 사업이 성장해 나갔다.

어쩜 좋은 기회인지도 모른다는 생각이 들었다. 다름 아닌 무역업이란 외국 제품만 수입하는 것이 아니라 우리의 제품도 해외에 수출하여 국위를 선양하는 것도 보람 있고 ...

그러던 어느 날 정부로부터 수입정책이 바뀌어 국산 주류를 수출했던 회사만 수입을 허용한다는 내용의 공문이 날아왔다. 청천벽력 같은 일이 벌어진 것이다. 당시는 한국 술을 해외에 알릴 방법도 없었으며 더구나 외국 사람들의 입맛에 맞지도 않는 술이었기에 참으로 암담하였다.

그러나 어쩜 좋은 기회인지도 모른다는 생각이 들었다. 다름 아닌 무역업이란 외국 제품만 수입하는 것이 아니라 우리의 제품도 해외에 수출하여 국위를 선양하는 것도 보람 있고 좋은 일이라는 생각을 했다. 또 한 번 무모하지만, 용기 있게 나아갔다. 무조건 해외 거래처들에게 일정량의 쿼터량을 주고 국산 주류의 구입을 요청했다. 즉, 본사가 구입해 온 양의 20%는 무조건 국산 주류를 수입해 갈 것을 요청하였더니 의외로 성사가 되어 최초로 국산 주류를 해외에 소개하고 판매하는 계기가 만들어졌다. 이를 통해 돈을 버는 것보다 훨씬 더 큰 보람과 의미를 느낄 수 있었다.

사업이란 목표와 방향 설정이 중요하며 죽을 각오로 최선을 다하는 투지와 경영 수완에 그 생명력이 있다고 생각한다. 이렇게 시작한 사업을 통해 협회와 인연을 맺은 지 어느덧 44년이란 세월이 흘러 1984년에

상화빌딩이란 이름으로 4층짜리 꼬마빌딩을 직접 설계하여 신축하고, 그간 협회 이사, 분과위원, 운영위원, 자문위원을 거치면서 숱한 애환들을 함께 겪어 왔다.

많은 세월, 주름살처럼 굴곡진 파란만장한 세월들... 어찌 말과 글로 표현할 수 있을지 모르겠다. 그래도 꿈이 있어 행복했고, 동시대의 어려움을 성공으로 이룬 옛 친구, KOIMA의 동료들을 보면 자랑스럽고 가슴 뿌듯함을 느낀다.

"해봤어!" 정신이 번쩍 드는 한 마디!

박 성 자 | 배성인베스트먼트 대표

KOIMA 자문위원

"긍정은 천하를 얻고, 부정은 깡통을 찬다"

말하기는 쉬워도 실천하기는 어려운 말 중의 하나이다. 바쁜 사업에 정신없이 몰입하다 보면 어느 순간인가 그냥 세월 따라 흘러가는 상황을 깨닫게 된다. 그럴 때 번쩍 머리를 스치고 가는 이 한 마디는 경영에서뿐만 아니고 일상생활에 있어서까지 긍정의 힘이 만들어 내는 커다란 차이를 깨닫게 해준다.

1980년대쯤 내가 사업을 시작하고 어느 정도 시간이 흘렀을 때이다. CEO로서 덕목과 안목 지식이 필요할 즈음, 당시 사회에서 꽤나 유명한 어느 단체 연수회에 참가할 기회가 있었다. 무엇보다도 프로그램에 (故) 정주영 회장의 강의가 포함되어 있어서 더욱 기대를 갖고 참가 신청을 하게 되었다. 우리나라 재계 1인자의 강의는 늘 흥밋거리였고 사람들의 관심 대상이 되고 있었다. 많은 기대와 관심 속에서 그 시간이 빨리 오기를 손꼽아 기다리게 되었다. 여러 유명한 대학교수, 학자, 전문가들의 강의가 끝나고 드디어 정주영 회장의 강의를 듣게 되나 싶어서 집중하며 기다리고 있었다.

그러나 시간이 되자 회장님은 급한 스케줄 때문에 못 오시고 대신 그룹의 전문 지식을 갖춘 어느 임원분이 강의를 하러 오셨다. 조금 실망했지만 그분이 나누어 준 한 권의 책자가 있었는데, 그 책은 정주영 회장께서 쓰신 긍정적이고 적극적인 기업가 정신 등 여러 가지 이야기가 담겨 있었다.

1970년대 당시 우리나라 건설사들은 중동 건설사업에 진출하기 위해 사전 조사를 했다. 이때 대부분의 기업들은 중동은 1년 내내 비가 안 와서 물이 부족하고 모래바람이 불고 너무 더워서 공사하기에 불가능하다고 결론을 내렸다. 하지만 정주영 회장은 중동은 1년 내내 비가 안 와서 쉬지 않고 공사할 수 있어서 좋고, 모래가 많고 자갈이 사방에 널려있으니 이보다 더 좋을 수 없다고 생각했다. 같은 상황에서 서로 다른 부정적인 이론과 긍정적인 이론이 나왔다. 긍정을 택한 정 회장의 사업은 성공가도를 달리며 오늘날의 현대라는 거대한 재벌 기업으로 성장한 단초가 되어 주었다.

"해봤어!" 정신이 번쩍 드는 이 한 마디가 머릿속을 번쩍하고 스쳐 지나갔다. 노력이라도 해보았느냐는 이야기일 것이다. 그때부터 매일같이 뛰는 가슴을 붙들고 거래를 성사시키기 위해 노력하기 시작했다.

사업할 때 긍정적인 마인드가 주는 힘을 그때 배운 것 같다. 무슨 일이든지 긍정적으로 생각하기로 했다. 무슨 사업을 하든지 긍정적인 면을 먼저 생각하며 찾기로 했다. 내가 하던 일 중에서 긍정적인 생각으로 성공을 거둔 이야기를 하자면, 80년대 초에 우리나라 거대 기업의 하나였던 ㈜대한광학이 부도가 나서 갑자기 사업이 중단되었을 때다.

그때만 해도 국내에 광학기기 제조업을 하는 회사는 전무한 상태였다. 수출 위주의 회사였고, 우리나라 유일의 쌍안경 수출 회사였으며, 당시 종사하던 근로자의 수가 2~3천 명이 되던 회사였으니 규모가 얼마나 큰 회사였는지 짐작이 간다. 당시에는 국가기관 중 재무부가 부도난 회사 근로자들의 인건비, 퇴직금 문제를 해결하는 관계부처였었나 보다. 어느 날 관계자들이 이 문제를 해결하기 위하여 상의하자고 연락이 왔다.

그 당시 내수시장에서 광학회사로는 우리 회사가 우선순위에 들었기 때문일 것이다. 그 회사가 수출을 위해 준비해 두고 미처 컨테이너에 선

적하지 못했던 제품이 어마어마하게 많이 있었다. 한 관계자는 문제의 처리 과정상 우선 직원들의 월급과 퇴직금의 처리가 시급하다고 했다. 하지만 이러한 일을 맡기엔 우리 같은 작은 중소기업으로는 너무나 크고 벅찬 예산이 들어가는 일이었다. 은행 문턱은 높고 그렇다고 변변한 부동산 같은 돈을 빌릴 만한 재원이 있는 것도 아니었다. 현금은 필요하고 생각만 해도 도저히 우리 회사 재무 상태로는 해결이 어려운 일이었다.

나는 그때 그 창고에 쌓여있던 어마어마한 제품 앞에서 가슴 뛰며 경탄을 금치 못했던 순간을 잊을 수가 없었다. 꼭 그 일을 해내고 싶었다. 모든 상품을 잘 판매할 수 있는 자신감도 있었다. 단지 현금이 없는 것이 문제였다.

그 순간 정주영 회장의 "해봤어!" 정신이 번쩍 드는 이 한 마디가 머릿속을 번쩍하고 스쳐 지나갔다. 노력이라도 해보았느냐는 이야기일 것이다. 그때부터 매일같이 뛰는 가슴을 붙들고 거래를 성사시키기 위해 노력하기 시작했다. 우선 사업계획서를 만들었고, 거래하던 은행 관계자들을 만나 설명하고, 돈이 많은 업자들도 만나 보았다. 개인적으로 그것도 맨손으로 돈을 만들어 보려고 뛰기 시작했다. 주위에선 모두 어림도 없는 일이라고 했다. 가장 힘이 되어 주어야 할 남편마저도 헛고생하지 말고 마음이나 편안히 가지라고 충고를 했다. 모든 이들에게 섭섭하고 야속했지만 '지성이면 감천'이라는 우리나라 속담도 그냥 생긴 것이 아닐 것이라 생각하며 뛰고 또 뛰었다.

드디어 한줄기 아주 작은 빛이 비치기 시작했다. 우리 회사 주거래 은행의 전 지점장이 점심을 먹자고 연락이 왔다. 그분은 나와 사업 초기부터 많은 이야기를 나누었기 때문에 나의 성격이나 우리 회사 재정을 너무도 잘 아는 분이었다. 그날 그분한테 부담을 드리기 싫어 돈 이야기는 꺼내지도 않았다. 은행이라는 곳은 냉정한 곳이라는 것을 잘 알기 때문이다. 되지 않을 일로 나쁜 인상을 전해 드리기 싫었기 때문이다. 밥 잘 먹고 헤어지려고 할 때 그분께서 살짝 한 마디 힌트를 주셨다. 집에 돌아와 곰곰이 생각해 보니 그 말씀은 내가 어떤 상황인지를 잘 알고 하신 말씀 같았다. 그분의 조언은 나중에 큰 도움이 되었다.

"시련은 뛰어넘으라고 있는 것이고, 무엇이든지 할 수 있다고 생각하는 사람이 해내는 법이다! 길이 없으면 길을 찾고, 찾아도 없으면 길을 만들면 된다!" – 아산 정주영 –

다음날 해답이 가까운 곳에 있는 걸 모르고 혼자 애쓰던 나의 모습이 어리석게 느껴졌지만, 용기를 내어 도전하며 문을 두드리기 시작했다. 드디어 우여곡절 끝에 성공하여 30억이라는 거금을 손에 들고 모든 문제를 해결했을 때 천하를 얻은 듯 가슴 벅찬 희열을 느꼈다.

어렵고 힘들다고 주저앉아 버리면 아무것도 이룰 수 없다. 긍정의 힘을 믿고 최선을 다하다 보면, 지성이면 감천이라는 말처럼 새로운 기회의 문이 열리는 것이리라.

사업을 한다는 것

박 연 수 | 에이티시 대표

KOIMA 부회장

오랜만에 들른 아들의 책상 위에 '자존감 수업'이라는 책이 눈에 들어온다.

불현듯 어려웠던 시절이 생각나 아버지로서 가족에 대한 경제적 부족함이 혹시 아들까지 자존감이 낮아진 게 아닐까 하는 생각이 들었다. 1997년 IMF 시기에 나는 사업실패로 열등감과 사회에 대한 두려움으로 걱정과 불안으로 고통스러운 한때를 보낸 적이 있었다. 많은 시간이 지난 지금, "젊음은 그렇게 도전하고 실패한다."라고 말할 수 있지만, 그때는 자신감도 자존감도 지키기가 힘들었다. 내 가족의 삶은 오죽했겠는가? 참으로 무능력한 가장이었다. 인생이 원래 고해라고 했듯이 인생의 쓴 물이 약이 된 지금은 안타까운 기억마저도 놓칠 수 없는 달고 단 자양

분이 되었다.

서울 올림픽으로 전국이 환희에 차 있던 1988년, 한국의 경제발전은 경이로운 기적이라 불리던 시기였다. 비누, 세제를 제조하여 전국적으로 유통하는 중견기업인 동산유지에 막 입사한 신입이었던 나는 부산 중앙동에 있는 한국무역대리점협회 부산 사무실에 오퍼 확인을 받으러 한 달에 10번 이상 방문해야 했다. 대외무역법령에 의해 모든 수입은 한국대리점협회가 발행하는 확인서를 받아서 수입하던 시절이었고, 당시 내가 다니던 회사는 원·부자재 대부분을 수입에 의존해야 했기 때문이었다.

그로부터 5년 후, 작은 오퍼상을 차린 청년은 아시아를 주름잡겠다고 닉네임을 'Asiapark'으로 정하고 험하고 위험한 비즈니스 정글로 무작정 뛰어들어갔다. 예견되었듯이 30대 초반에 열정으로만 뛰어든 사업이란 참으로 힘들고 고난의 연속이었다. 직장 다닐 때 맺은 인맥으로 오퍼를 좋은 가격에 받는다 해도 해결해야 할 문제가 한두 가지가 아니었다. 그 당시 열악한 부산항 부두에서 하역하는데 많은 시간이 소요되고, 액체화물인 식물성 팜유나 동물성 기름인 우지(소기름)는 탱크시설과 운송할 수 있는 탱크로리라고 하는 화물차 준비 등 많은 자본을 들이지 않으면 수입해서 판매할 수 없는 상황이었다. 팜유나 우지는 구매할 수 있지만, 케미컬을 운반하는 선박을 용선해 부산항까지 운송해 하역하려면 시간이 많이 소요될 뿐만 아니라 일몰 시간 이후에는 선박이 출항할 수 없

나는 이번에는 또 다른 도전을 해야 했다.
실패에 대한 두려움을 없애기 위해, 아니 정확하게
말하면 사업을 하다가 망하면 가족을
먹여 살릴 묘책이 필요했다.

는 부산항의 특수한 상황도 걸림돌이었다. 즉, 작은 오퍼상으로서는 도저히 돈을 벌 수 없는 구조였다. 지금은 부두에 저장탱크가 있어서 시간당 80톤 이상 하역할 수 있지만, 그 시절 아파트 담보로 1,000만 원을 대출받아 시작했던 젊고 순진한 청년의 상황은 얼마 가지 않아서 자본금도 바닥나고 어린 아기들 우윳값도 벌 수 없는 비참한 삶의 연속이었다.

인생은 언제나 그렇듯이 내게도 이 어려운 고비에 전화위복의 기회가 찾아왔다. 외국으로부터 원유를 수입해 국내 제조공장에서 가공 정제하는 과정에 환경문제가 대두되었다. 당시에 추세는 원료를 생산, 현지에서 가공하는 방향으로 시장이 빠르게 바뀌어 가면서 비즈니스 기회가 왔다. 다시 말해 원유 정제과정에서 발생했던 모든 문제를 해결하는 방법은 현지에서 가공 정제하고 반제품 형태로 수입하는 것이다. 직장 생활할 때 현장에 들어가서 현장 분들과 대화하고 목욕하면서(당시 규모가 컸던 동산유지에는 시내 목욕탕만큼의 시설을 갖춘 목욕탕이 있었다.) 무역부 직원이 알 수 없었던 현장의 생산과정에 대한 지식을 축적할 수 있었다. 그래서 빠른 대처로 기회를 잡아 그동안 벌지 못했던 돈을 버는 재미가 붙기 시작했다. 어느덧 말레이시아나 인도네시아에서 팜유를 가공 정제하는 중간재(화장비누 원료/Soap Noodle)의 경우, 우리나라에서 가장 많은 양을 수입해 판매하는 리딩 컴퍼니로 국내시장을 장악하고 있었다. 혼자서 하던 일을 5명의 직원을 두고 전국을 커버하는 호황을 이뤘고, 열심히 꿈을 향해 달리고 있었으며, 원하는 꿈이 이루어진 것으로 착각했다. 왜냐하면 이름이 알려진 후 빅바이어로 생산현지인 말레이시아를 방문하면 공급업체에서 고급 벤츠로 공항에 픽업을 나와 주었고, 호화로운 식당에서 대접이 융숭해 30대 초반 성공에 도취 되는 기분이 들었다.

그러던 중 금융실명제와 IMF라는 거센 파도가 연이어 밀려왔다. 원자재 대금으로 받았던 어음의 부도와 USANCE(담보나 신용으로 은행에서 지급보증) 조건으로 수입해왔던 원자재 대금은 환율에 너무나 취약해서 그동안 모은 모든 것을 잃고 절망적인 상황에 몰렸다. 그 당시 살고 있던 아파트도 경매로 넘어가고 가족과도 흩어지고 술이 아니면 현실을 이겨낼 수 없는 고통의 나날의 연속으로 생활은 지옥으로 변했다. 말레이시아 팜유의 빅바이어, 전에 다녔던 회사에서 역시 자넨 남달랐다는 칭찬을 들었던 나로서는 자존감은 흔적도 없이 사라졌고, 신용불량자가 되는 비극적인 상황으로 추락했다. 자존감은 땅에 떨어지고 모든 것을 포기하고자 하는 순간도 많았지만, 가장이 그렇듯이 나도 어린아이들의

말레이시아 팜유협회 교육 중 Pan Pacific사 회장님과 함께

얼굴이 떠올랐다. 용기를 내서 살아야 하고, 재기해야 한다는 생각으로 학원 봉고차 운전을 하면서 거래했던 외국의 회사와 연락을 하는 등 재기의 기회를 끊임없이 노렸다. 다시 희망이 생기니 운전하는 것도 창피하지 않고 오히려 행복한 마음으로 자존감이 회복되기 시작했다. 그 무렵 한국수입협회(제15대 진철평 회장)에서 회원사를 위해 부산에 공동사무실을 운영한다는 소식을 듣고 한걸음에 달려가 계약을 했다. 사업자를 재등록하니 다시 힘과 희망이 생겼고, 그때 지금이 있기까지 재기의 발판을 마련한 셈이었다.

나는 이번에는 또 다른 도전을 해야 했다. 실패에 대한 두려움을 없애기 위해, 아니 정확하게 말하면 사업을 하다가 망하면 가족을 먹여 살릴

묘책이 필요했다. 그래서 공부를 해야겠다고 생각하고 그야말로 주경야독하면서 대학원에 등록하고 석사, 박사학위(일반대학원)를 취득했다. 지금까지 대학에서 겸임교수로서 후진 양성한 지가 벌써 15년이란 세월이 흘렀다. 처음에는 사업이 망하면 강의라도 해서 가족을 먹여 살리겠다는 단순한 생각으로 시작했던 학업이 나를 한 단계 더 성장시켜준 계기가 되었다. 30대 초반 사업을 시작하여 말레이시아에서 30일간 팜유 관련 교육을 받고 마지막 날 수료식에서 세계적인 회사인 네슬레 사장보다 베트남, 필리핀, 캄보디아 연구소분들이 맨 앞줄에 앉았다. 궁금한 마음에 주최 측에 왜 네슬레 사장이 세 번째 줄이냐고 문의하자 당시 교육을 주관했던 말레이시아 팜유협회 모하메드 박사가 저분들은 박사니까 앞줄에 자리 배치를 했다고 해서 언젠가 나도 맨 앞줄에 앉을 수 있도록 박사학위를 취득해야겠다는 생각을 그때 처음으로 했다.

누구에게나 젊은 날의 생각은 삶에 동력이 되어 꿈을 이루게 마련인가 보다.

한해만 지나면 환갑이 되는 지금은 사업이 성장함에 따라 자존감도 회복하고 인정받는 비즈니스맨으로 다시 이 자리에 설 수 있게 되었다. 오늘을 있게 해준 한국수입협회와 선후배님들은 늘 나의 든든한 큰 언덕이 되어주었다. 지금은 21대 부회장이 되어 협회에 봉사하고 있으니 참으로 행복한 사람이다.

우리가 한 번도 경험해보지 못한 코로나 바이러스라는 위기 상황을 맞아 모든 것이 변하고 있는 불확실성의 시대와 직면하고 있다. 지혜롭게 잘 대처하고, 협회의 훌륭한 선후배들과 함께 어려움을 극복할 수 있을 것이다. 늘 세계 구석구석을 누비는 산업전사가 되어 대한민국의 무역을 주도해왔지 않은가?

사업을 한다는 것은 때론 죽을 것 같은 고통과 시련을 다 겪고 난 후에야 얻어지는 경쟁력과 노련함으로 경영을 하는 것이리라. 독일 작가 헤르만 헤세는 자신의 거친 삶을 자전적 소설 '황야의 늑대'에서 갖은 어려움을 헤치고 황야에서 살아가는 법을 익히는 보스의 기질에 비유했다. 나도 늘 시간은 속절없이 흐르는데 손에 쥔 것이 아무것도 없다는 걸 확인할 때마다 밀려오는 불안감을 혼자 감당하기 어려웠던 때도 많다. 하지만 우리가 도전하는 사업은 위대한 것이다. 누군가 위대해지는 길을 가고 있으니 힘든 것이라고 말했듯이 사업을 시작하는 후배들에게 꼭 말하고 싶다. 내 맘 같지 않은 현실에 웅크리지 말고 당당히 견디고 이겨내야 한다고. 현재의 불안감, 미래의 두려움은 누구나 지나야 할 인증단계라는 것도….

희로애락(喜怒哀樂)

서 용 익 | ㈜비티씨정보 대표이사

KOIMA 정보통신위원장

1985년 봄, 경제신문에서 한국무역대리점협회(AFTAK) 전산프로그램 개발자 신입직원 채용공고를 보게 되었다. 입사 서류를 제출한 후 필기시험과 면접을 거쳐 1985. 4. 15(월) 출근하면서 나와 협회의 인연(因緣)이 시작되었다.

2005년 12월 퇴사까지 20년 8개월이란 긴 시간을 보낸 이곳은 나의 청춘과 중년을 바쳤던 삶의 터전이었으며 내 생(生)의 방향키를 잡아 주었던 중요한 삶의 디딤돌이 된 기간이었다. 물론 지난 25년 동안 협회 또한 괄목할 성장을 이룩하였다. 협회 명칭은 그 위상과 역할에 걸맞게 한국수입협회로 바뀌었다. 수입협회 창립 50주년을 맞아 나는 지난날 직원에서 지금은 회원사가 되었다. 내가 몸담았던 협회의 지속적인 발전과 도

아내가 출산을 10일 앞둔 어느 날, 예고 없이 미국 사절단 출장을 준비하라는 상사의 말에 눈앞이 깜깜했다. "다음번에 출장 가겠습니다. 아내가 산달입니다" 했더니 상사께서 하시던 말씀! "너가 애 낳니…"

약을 기원하면서 지난 25년간 협회와 함께 보낸 시간을 기쁨(喜), 노여움(怒), 슬픔(哀), 즐거움(樂)으로 나눠 그 소회를 전하고자 한다.

첫 번째 희(喜), 기쁨이 컸습니다.

지방에서 올라와 서울에서 직장 생활을 한다는 것은 설렘과 함께 큰 기쁨이었다.

서울 생활을 하기 위해 방을 얻고 어머니께서는 아들의 첫 직장 출근이 염려와 걱정이 되었는지 전날 올라오셨다. 손수 아침밥을 지어 주시면서 "한눈팔지 말고 열심히 일하거라! 밥값을 해야지, 도시 생활을 해야 장가도 갈 수 있다"라고 당부하셨다. "아무리 힘들어도 농사짓는 것보다는 낫겠지" 그때 하신 말씀들이 아직도 귓전에 남아 있다. 어머님 마음이 통했는지 1986년 장가도 갈 수 있었다. 주례사는 협회 황영건 전무님이 맡아주셨고 아들과 딸을 낳아 오늘까지 나름 모범적인 가정을 꾸려 무탈하게 생활하는 것이 나의 인생 중 제일 큰 기쁨이었다. 하나 덤으로 얻었다면 내가 협회에 근무하는 동안 아내는 꾸준히 자기 계발에 매진하였다. 그 결과로 2019년 12월 광교산 아래 동천동에 혜우정미술관(네이버 혜우정미술관)을 열게 되었다.

두 번째 로(怒), 노여움도 있었습니다.

훅하니 뛰어넘기고 싶은 구절이다. 쉽게 말문이 열리지 않는다. '과거에 집착해 분노와 증오를 못 버리는 것. 그것처럼 어리석음이 없다'는 글을 어느 책에서 읽은 기억이 있다. 2005년 12월 어느 날, 그리도 아끼고 사랑했던 나의 삶의 터전이었던 수입협회를 내 의사와 관계없이 버리고 나와야 했다. 퇴직에는 몇 가지 종류가 있다. 내 스스로 하는 퇴사, 나의 의사와 관계없는 퇴사, 누군가의 모사(謀士)에 의한 퇴사 등이 있겠다. 그때 그 시기 퇴사를 하면서 입사 때 어머님께서 해주셨던 말씀을 떠올려 보았다. 20년 8개월 근무하는 동안 한눈팔지 않고 열심히 일했다고 자부한다. 내 밥값은 내가 스스로 해결해야 한다는 신념과 각오로 부끄러움 없는 시간을 보냈다. 가끔 그때 그 시간(2005년도)을 생각해보면 왜 그리 자잘함이 많은 사람들이 군집했었는지 화(火)가 많았으나, 지금 그때를 되돌아 생각하면 지나간 아무 부질없는 일들이 되었다.

세 번째 애(哀), 슬픔에 대해 말합니다.

누구든 직장 내 애환이 없는 사람은 없을 것이다. 누구든 명석을 깔아

놓으면 수일 동안 밤샘하며 털어놓아야 할 이야기가 있는 것이 직장인의 애환일 것이다. 이곳 협회도 별반 다름없는 직장이다. 처음에는 총무과 전산과에 배속되어 컴퓨터(NEC150-75) 기종으로 COBOL 언어 이용 프로그램 개발업무를 담당했다. 초기 전산개발 구축의 태동기라 산더미처럼 일이 넘쳐 밤샘은 물론 주말과 일요일도 개발업무에 매달리는 시간이 많았다. 그렇다 보니 자연스럽게 직장 내 애환을 나눌 수 있고 의기투합할 수 있는 홍보부 정순조란 동료와 마음이 서로 통해 함께 하는 시간이 많았다.

시간을 함께 나눌수록 어린 시절 자란 환경도 비슷하고 나이도 같아 동료가 아닌 친구처럼 허물없이 지내며 서로 정신적으로 의지하는 사이가 되었다. 그 친구는 경북 지리산 산촌에서 태어났다. 홀어머님 밑에서 초등학교만 졸업하고 수년간 머슴 생활로 새경을 받아 저축하여 훗날 독학으로 검정고시와 4년제 국립대학을 졸업하고 늦은 나이에 협회에 입사한 친구였다. 1997년 9월 13일(금) 13시에 나와 그 친구와 복도에서 자판기 커피를 마시면서 추석 고향길 잘 다녀오자며 악수하고 헤어졌다. 그리고 그 다음날(토요일) 10시 KBS 뉴스 속보에 그 친구 이름과 함께 교통사고로 일가족 사망이란 보도를 보고 아나운서의 말을 믿고 싶지 않았다. 그러나 설마가 현실이 되었다. 장례식장과 화장터에서 저 세상으로 먼저 떠나는 그 친구와 그의 아들, 딸을 보면서 큰 슬픔에 많이도 눈물을 흘렸다. 지금도 그리 순수하고 서로 감싸며 서로 다독여주었던 그 시절, 그 친구(정순조 과장)가 자주 생각난다. 아름다운 저 세상에서 행복하길 바랄 뿐이다.

네 번째 락(樂), 즐거움에 대해 말합니다.

20년 8개월 동안 협회에서 녹을 받고 살아온 생과 「새로운 IT 문화를 창조하는 기업」이란 사명을 가지고 2006년 3월 SW 개발 ㈜비티씨정보 법인회사를 설립, 15년간 운영하고 있다.

현재는 수입협회 정보통신위원장이란 직함을 부여받고 있다. 참으로 격세지감(隔世之感)이란 표현이 이런 때 쓰라고 만들어진 사자성어 같다. 협회의 안과 밖을 두루두루 함께 공존해 본 내가 앞으로 과연 협회를 위해 무엇을 할 수 있을까? 가끔 혼자 지나는 말처럼 흘려버리지만 언젠가는 또 다른 봉사의 길이 있으리라 짐작도 해본다.

아무런 준비도 없이 밥 세 끼만 해결하자며 궁여지책으로 시작된 IT 관련 회사는 15년차가 되면서 밥 세 끼 걱정을 덜고 살 수 있는 회사가 되었다. 법적으로는 정년 은퇴자가 된 나지만 이곳 회사는 내 스스로 정년을 정하면 되는 즐거움이 있다.

협회 창립 50주년을 맞아 그 시절을 회고하면서 많은 분들이 생각난다. 마음이 따뜻했던 분, 고맙고 감사한 분, 은혜를 듬뿍 주셨던 분, 보고 싶은 사람, 불편했던 사람, 불쌍한 사람 두루두루 헤아릴 수 없이 많다. 하지만 내 마음속에 영원히 그들의 이름 석자를 남겨 놓기로 했다.

아내가 출산을 10일 앞둔 어느 날, 예고 없이 미국 사절단 출장을 준비하라는 상사의 말에 눈앞이 깜깜했다. “다음번에 출장 가겠습니다. 아내가 산달입니다” 했더니 상사께서 하시던 말씀! “너가 애 낳니...” 그때는 우습고 황당하였지만 지금 생각해보면, 수입협회 모든 직원들의 이 같은 헌신과 노고가 오늘의 협회를 만들었다고 자부하고 싶다.

협회는 사절단을 중시하고 수입을 통해 수출을 촉진시키는 이중성을 함께 지니고 있는 국내 유일의 수입 전문단체이다. 지금의 명성이 앞으로도 지속적으로 유지되고 더 큰 발전을 기대하며 수입협회 창립 50주년 축하와 무궁한 발전을 기원하는 바이다.

익어가는 것들에 대한 단상

신 태 용 | ㈜한신아이티씨 대표이사

KOIMA 제19대 회장

7년 전의 일이다. 당시 필리핀 마닐라에 내 회사 지사가 있었다. 회사 일로 마닐라에 출장을 갔었는데 이혁 주필리핀 한국대사를 만나 점심식사를 하게 되었다. 어느 한국식당에 갔더니 교민회장도 와있었다. 함께 식사를 하면서 나는 KOIMA 회장으로서 필리핀과의 교역문제와 KOIMA의 역할을 얘기하던 중 협회가 매년 한 번씩 대규모로 하계세미나 겸 통상사절단을 외국에 파견한다고 얘기하였다. 그 얘기를 듣더니 이혁 대사가 그러면 이번 7월에 필리핀으로 사절단을 보내줄 수 없겠냐고 하면서 당면한 중요 사안이 한국의 경공격기 12대를 필리핀에 수출해야 하는데 한국이 가격도 비싸고 그 외의 국방물자 지원도 빈약하여 경쟁국에 밀려서 어려운 입장이라고 하였다. 나는 바로 이때가 우리

KOIMA의 힘을 발휘할 때라고 여기고 한국에 돌아가서 협의해 보겠다고 하였다.

사실 이미 우리는 태국 방콕에 대규모 사절단을 보내기로 결정을 하고 준비하던 때였다. 귀국하자마자 회장단, 임직원들과 협의하고, 국방부와 방위사업청으로부터 경공격기 진행상황을 듣고 태국에서 필리핀으로 변경을 시작했다. 얼마 남지 않아 이미 신청한 회원들은 물론 주한 태국 대사를 만나 사정을 얘기하고 양해를 구했다. 그리고 주한 필리핀 대사를 만나 준비를 서둘렀다. 약 200명에 대한 항공예약, 호텔예약을 급히 변경하고 세미나, 상담일정 등을 조율했다. 필리핀측에서도 매우 적극적으로 도왔다. 100개사 넘는 수입업체들의 대표가 동시에 방문하게 되니 필리핀측으로서는 굉장한 이벤트였고, 우리로서는 한국의 방산물자를 수출하는데 우리 KOIMA가 기여할 수 있는 기회를 갖게 되는 것이었다. 어려운 일은 갑작스럽게 얼마 남겨두지 않고 그동안 준비해온 주한 태국대사관과 태국 산업무역부에 성실하게 우리 입장을 설명하고, 다음 해에 더 큰 규모로 갈 것을 약속하는 것이었다. 외교에서도 진지하고 솔직하게 사정을 얘기하고 이해를 구하면 상대방의 입장과 기분을 상하지 않게 하면서 우리의 뜻을 관철시킬 수 있다는 것을 깨닫게 되었다. 우리나라 외교도 어려운 상황에서도 얼마든지 잘 할 수 있을 것이라 믿게 되었다.

우리는 짧은 기간의 준비를 거쳐 7월 중순에 200여 명의 대규모 수입

사절단을 필리핀 마닐라에 파견하게 되었다. 공항에서부터 모든 일은 필리핀측의 호의와 협조로 원만히 이루어졌으며 모든 행사와 비즈니스 상담은 성공적으로 이루어졌다. 신문과 TV는 필리핀 역사상 한 번에 단일국으로 최대의 수입사절단이 왔다고 대서특필하였으며 연일 빅뉴스로 다루어졌다. 필리핀 산업무역부 장관은 물론 관광부 장관도 큰 만족을 표하였고, KOIMA 단원들에게 상당한 편의를 제공하였다. 400여 명이 모인 기조연설에서 나는 한국전쟁 때 필리핀이 7,420명의 전투대원을 한국에 파병해 주었고 400여 명이 사상되었다고 하면서 라모스 전 대통령도 한국군 참전용사였고, 현 대통령 부친인 아키노 전 상원의원도 젊은 시절 20세 되던 해에 종군기자로 한국에 와서 취재하였다고 언급하였다. 이러한 필리핀의 많은 젊은이들의 희생 결과로 한국은 자유민주주의를 지킬 수 있었고, 한국은 경제발전을 이룩할 수 있었다고 감사의 마음을 전하였다. 한국이 쌀이 부족할 때 필리핀에 한국 농업기술자들이 가서 벼의 수확을 늘리는 방법을 공동 연구하였고, 그것이 통일벼라는 이름을 얻고 쌀의 자급자족을 이루는 계기가 되었다고 하면서 필리핀의 한국에 대한 지원에 큰 감사를 전하였다. 그래서 이제는 한국이 세계 10대 경제강국으로 도약하였고, 필리핀을 도우러 왔다고 연설을 하였다. 필리핀 신문과 TV에 이 연설내용이 상세히 실리면서 필리핀 국민들은 물론 대통령까지 감동하게 되었다.

KOIMA 회원사들의 심도 있는 수입상담으로 성과가 대단하였다. 필리핀의 산업무역부 장관은 물론 관광부 장관이 아침 일찍 우리가 머무는 호텔에 찾아와 회장단과 조찬을 하면서 KOIMA의 이번 성과를 아키노 대통령에게 특별히 말씀드리겠다고 했다. 관광부는 필리핀에서 가장 중요한 부처이며, 매주 토요일 아침에 대통령과 식사를 한다고 하였다. 수개월 후 그해 11월에 필리핀의 아키노 대통령이 국빈 방한하여 첫 청와대 대통령 접견에서 지난 7월에 한국의 KOIMA가 대규모 수입사절단을 보내준 것에 감사하다면서 필리핀은 한국의 경공격기를 구매하겠다고 발표하기에 이르렀다.

이것이 바로 우리 KOIMA의 힘인 것이다. 우리는 우리나라의 대표 수입단체로서 우리가 생각하는 것 이상으로 외국에서는 엄청난 경제단체로 인식되고 있다.

인도에 대통령 수행으로 많은 경제단체장과 대기업 대표들이 갔으나 양국 산업부 장관 미팅에는 한국에서 산자부 장관과 간부들 외에 경제단체장으로서 유일하게 KOIMA 회장이 초청되었다. 또한 인도네시아에서는 대통령궁에서의 만찬시 우리 테이블은 인도네시아 경제인협회장, 상공회의소회장, 수출입협회장, 그리고 한국측에서는 무역협회장, 상공회의소회장, 내가 앉게 되었는데 인도네시아측에서는 한국에 수출하는 품목들에 대하여 많은 얘기를 하였으며 그 대화의 중심이 KOIMA 회장인 나였다.

2013년에 하계세미나 겸 통상사절단을 갑자기 필리핀으로 변경하게 되어 약속을 지키지 못한 우리로서는 2014년 7월에는 반드시 태국으로 가야 했었다. 그런데 세월호 사건 등으로 국내에서 하계세미나를 개최하

한 회의에서 대통령의 "수입협회가 잘 해줘야 창조경제가 잘 될 수 있다"라는 발언을 계기로 나는 즉시 명칭변경 작업에 착수하였다.

게 됨으로써 또한번 태국과의 약속을 지키지 못하여 난감하게 여기던 중 2014년 11월에 ASEAN+KOREA 회의가 부산 BEXCO에서 개최됐다. 태국총리를 비롯한 관계장관과 기업인들이 내한하였다. 부산에서 태국 총리 일행과 한국의 경제단체장 기업인들 약 30여 명의 조찬모임이 있었다. 식사하면서 태국의 쁘라윳 총리가 한국측 참석자들에게 돌아가면서 한마디씩 하라고 제안하였다. 내 차례가 되어 나는 우선 KOIMA에 대하여 설명하였고, 덧붙여서 매년 7월에 약 200명의 수입상사 대표들이 수입사절단으로 가는 행사가 있다고 하니 내 말이 끝나기도 전에 태국총리는 7월까지 기다릴 것 없이 당장 내일 자기 비행기로 함께 가자는 것이었다. 그래서 내년에는 꼭 가겠다고 총리와 약속하였다. 주한 태국 대사는 비로소 얼굴에 안도의 환한 미소를 띠며 나를 쳐다보았다.

다음 해인 2015년 7월에 우리는 200여 명의 단원들을 2대의 비행기에 나누어서 태국 방콕에 도착하였다. 일정이 순조롭게 진행되던 어느 날 오후에 갑자기 태국총리가 우리 단원 및 가족들 모두를 총리실로 초청하였다. 우리는 총리실 영빈관에 모여서 총리와 관계장관들과 함께 한 · 태국 통상증진에 대하여 논의하였으며, 특히 쁘라윳 총리는 태국 닭고기와 열대과일의 수입을 확대해 달라고 요청하였다. 쁘라윳 총리는 내 친구 미스터 신이 작년 부산에서 한 약속을 지켜주어 고맙다고 하면서 내 손을 꼭 잡고 출입기자단 앞으로 가서 한국에서 온 내 친구라고 소개하였다.

그 당시 태국은 군부 쿠데타 이후 약간의 정정불안과 사회불안이 있어서 외국인들이 태국을 쉽게 찾지 않았는데, 한국의 KOIMA가 200여 명의 수입회사 대표를 이끌고 방콕을 방문한 것에 대하여 태국정부는 국내 신문, TV는 물론 세계 각국에 나가 있는 태국 대사관을 통하여 전 세계에 홍보하였다. 태국의 사회가 안정되었고 경제가 발전 중이라는 메시지였다. 그 후 8월부터 많은 관광객과 기업인들이 태국을 찾게 되었다. KOIMA가 태국정부, 사회에 큰 도움을 준 것이다. 또 하나 태국총리가 감동한 일은 KOIMA 합창단의 총리 영빈관에서의 공연이었다. 총리는 다음날 즉시 관계부처와 태국공관에 훈령을 내려 한국의 KOIMA 같은 활동을 하라고 지시하기에 이르렀다. 그 당시 태국총리는 현역 육군 대장이었다.

2014년 봄까지 우리 협회의 공식명칭은 『한국수입업협회』였다. 많은 회원사가 아쉬워하는 부분이 있었다. 이전 명칭이 『한국무역대리점협회』이었는데 이를 2002년 월드컵이 한창일 때 진철평 15대 회장의 혁신적인 아이디어로 『한국수입업협회』로 개명하여 수입전문단체임을 천명하는 첫 발걸음이 있었지만, 『한국수입협회』로 다시 명칭을 변경하는 것은 쉬운 일이 아니었다. 나는 회장이 된 후에 매 분기별로 청와대에서 개최되는 무역투자진흥회의에 참석하여 기회가 있을 때마다 '한국수입협회'라고 발언하면서 수입협회의 중요성에 대하여 역설하였다. 대통령을 비롯한 장관들, 경제단체장, 기업인들에게 은연중 '한국수입협회'라는 이름을 자연스럽게 알리게 되었다. 한 회의에서 대통령의 "수입협회가 잘 해줘야 창조경제가 잘 될 수 있다"라는 발언을 계기로 나는 즉시 명칭변경 작업에 착수하였다. 2014년 5월 13일 우리는 총회를 개최하여 명칭변경을 의결하고, 즉시 산업통상자원부에 인가신청을 하여 드디어 5월 23일 인가를 받게 되었다. 오랜 숙원이 이루어지게 되었다.

2013년 3월 초, KOIMA 회장으로 취임하고 보니 협회 사무실이 있는 용산 일대가 재개발이 진행되어 주변이 폐광촌 같아서 외국 대사들이나 장관들, 기업인들이 내방하기에는 도저히 KOIMA의 대외위상에 손상이 있을 것 같았다. 우선 서초구의 방배동 사옥과 가까운 곳으로 이전을 하는 것이 낫겠다 싶어 즉시 시행하였다. 우리 협회가 이전할 공간이 없었거니와 특히 5층에는 소위 고시원 원룸이 70여 개가 있었고 공동취사 등으로 사고 위험도가 컸다. 그래서 우선 반포동으로 사무실을 이전하였다. 엘리베이터 있는 깨끗한 사무실로 이전하여 내방객들과 회원사들에 좋은 환경을 제공하게 되었다.

그 후 2년에 걸친 조사와 협의 끝에 낡은 방배동 사옥을 리모델링하기로 결정하였다. 가장 신경이 쓰였던 것은 5층의 많은 원룸들을 사고 없이 내보내는 것이었다. 그리고 건물에 엘리베이터 설치를 해야 임대료도 제대로 받을 수 있어 여름에 공사를 시작했고, 우리 협회는 9월에 이주하게 되었다. 기존의 입주사들은 시끄러운 환경에서 업무를 하여 우리는 마스크와 귀마개를 공급하여 주었고 무더운 여름공사를 빨리 마치게 하려고 나와 담당 직원들은 주말과 공휴일을 반납하고 수개월간 땀을 흘렸다. 공사업체에 아이스크림과 냉커피를 사주고 점심을 대접하면서 독려하였다. 도중에 엘리베이터를 설치할 수 없다고 공사업체가 손을 놓으려고 하기에 나는 그러면 외부공사까지 모두 취소하겠다고 압력을 가하여 천신만고 끝에 엘리베이터를 설치하게 되었다. 지금도 아쉬운 부분은 엘리베이터의 폭이 좀 좁아서 옥에 티가 되었는데 그 당시 기술로는 그나마 다행스러운 것이었다. 지금 그 일대에서 우리 협회 회관이 대리석과 그 색상이 멋있는 조화를 이루어 부러움을 사고 있는데, 사실은 2년 동안 내가 미국의 워싱턴이나 뉴욕, 동경, 홍콩에 가서 많은 건물을 보고 사진을 촬영해 와 그 자재와 색상을 선택하게 된 것이다. 한국수입협회라는 위상에 걸맞은 자체 사옥을 리모델링하여 입주하고 각국의 대사들과 외교관, 전임 회장님들, 회원사들을 모시고 입주파티를 하는 날 나는 가슴 뿌듯함을 느꼈다.

KOIMA 회장이 되기 전부터 항상 염두에 두고 있었던 것은 우리나라 군의 항공기, 선박, 탱크, 무기 등의 가동률이 65%에 불과하다는 것이었다. 이유는 부품을 제대로 조달을 못 하여 적기에 장비를 수리하지 못하기 때문이었다. 만약 우리 협회가 이 업무를 맡아 부품을 제때에 공급해

줄 수 있다면 한국군은 비싼 장비의 가동률을 높이고 이에 따라 국방력이 강화되고 부품조달에 관련한 비용은 우리 협회가 방위사업청으로부터 행정비로 지원받는다는 계획을 가지고 국방부와 방위사업청과 협상을 시작하였다. 방위사업청에서는 획기적인 제안이라 하면서 적극 찬성하였다. 그 당시 나는 협회 자문단의장으로서 당시 회장인 이주태 18대 회장과 함께 열심히 이 업무를 시작하였다. 이후 내가 19대 회장이 된 후 더욱 방위청 사업을 심화시켰다. 2015년 협회 창립기념일 행사에 방위사업청장이 직접 참석하여 KOIMA의 노력으로 납품 규모는 크지 않지만, 그로 인한 군장비 가동률을 생각하면 매년 수천억 원이 넘는다며 KOIMA의 활동을 높이 평가했다. 우리 협회는 그 후에도 20대에서 발전시켰고, 21대에도 지속적으로 이 업무를 유지 발전시키길 바라는 마음이다.

2015년 현직 대통령으로서는 처음으로 지브코 부디미르 보스니아 헤르체고비나 연방 대통령이 우리 협회를 방문하였다. 그는 크로아티아군 총사령관을 지낸 후 보스니아군 총사령관으로서 내전을 종식시킨 후 대통령이 되어 경제발전 모델로 한국을 생각하고 한국을 방문하던 중 KOIMA를 찾은 것이다. 그는 대통령으로서 많은 역할을 했고 지금도 나와 종종 연락하는 사이가 되었다.

여러 KOIMA 활동 중 가장 의미 있었던 것은 2001년 협회 부회장일 때 기독교인들의 모임을 협회 동호회 중 하나로 창설한 것이었다. 나는 기독교 가정에서 태어났고 자랐다. 이름을 '기독무역인회'라고 짓고, 한 달에 한 번씩 회원사 대표들이 모여서 담임 목사님을 모시고 기도하고 성경공부를 해온 것이 벌써 19년이나 되었다. 처음에는 협회 동호인 모임에 종교모임이 맞지 않다는 말들도 있었으나 함께 모여서 예배드리고 우리 협회와 모든 회원사들을 위하여 기도하고 찬송하는 모습을 보고는 좋은 시선들을 갖게 되었다. 지금까지 KOIMA를 위해 했던 모든 일에서 나는 항상 내가 믿는 하나님이 주신 능력 안에서 지혜와 명철을 가지고 열심히 겸손한 마음으로 일하려고 노력한 것에 감사드린다.

KOIMA가 이제 50돌이 되었다. 나는 1978년에 협회 회원으로 가입하였고, 당시 40대 초반의 여영동 회장이 협회장으로 당선되는 현장에서 협회의 역동성을 보았다. 50년 전 한국의 무역이 보잘것없었던 시기에 선배들이 혜안을 가지고 우리 협회를 창립한 이후 지금까지 훌륭한 전임 회장들의 희생과 열정에 힘입어서 그리고 협회 회원사들의 적극적인 참여와 임직원들의 노력으로 지금의 KOIMA를 만들어 낸 것이다. 무역자유화 이후에 회원수가 감소하고 있지만, 수입을 근거로 수출도 늘리는 특히 자원부유국이나 식량보유국 등을 중심으로 우리의 활동영역을 계속 넓혀간다면 우리 협회의 앞날은 무궁할 것이다.

KOIMA의 머리카락이 희끗희끗 해졌지만, 이것은 늙어가는 것이 아니라 익어가는 것이라는 사실을 생각하면서 나는 오늘도 매일 다니는 숲길을 걷는다.

한국 '사랑' 수입협회!

안 병 학 | ㈜한나래인터내셔날 대표이사

KOIMA 자문위원

반백 년 이상을 동고동락했다면, 단순한 관계를 넘어 인생의 동반자라 해도 과언이 아닐 것이다. 피땀을 쏟으며 사업을 일으키기 위해 젊음을 바쳤던 시간들은 인생의 값진 훈장으로 이 가슴에 각인되어 있다. 그 열정과 설렘의 시간을 함께해 온 수입협회는 각별한 의미를 가진다.

수입협회가 대한민국 무역 발전과 민간외교를 통한 국위 선양에 힘써 온 지 어언 반백 년, 감회가 새롭다. 협회의 일원으로 활동에 참여하면서 가장 기억에 남는 일 두 가지가 떠오른다.

이웃사촌 중국

지구촌이라는 말이 있다. 글로벌 시대에 이웃, 특히 이웃 국가 간의 관계는 상상 이상의 값진 가치와 의미를 갖는다. 지리적으로 가장 가까운 국가 중 하나인 중국과는 더 말할 나위가 없다.

2008년 5월 12일, 중국 쓰촨성에서 리히터 규모 8.0의 대지진이 발생했을 때의 일이다. 사망자, 부상자, 행방불명자까지 총 46만 명에 달하는 끔찍한 인명피해가 발생한 대참사였다. 그런데 당시 생각이 짧은 몇몇 한국 네티즌들이 고통을 당하고 있는 이웃 나라 사람들을 향해 "고소하다, 중국인들은 죽어야 된다"는 식의 악성 댓글을 달았고, 그 댓글이 언론에 대서특필되면서 중국 내 반한 감정이 뜨겁게 달아오르기 시작했다. 중국과 플랜트 무역을 진행하고 있던 상황이라 사태가 심히 우려되어 양국 간의 비난 여론을 진정시키고, 우호적인 한중 관계를 회복할 수 있는 길이 무엇인지 곰곰이 생각했다. 지진이 일어난 당일, 회원사 대상으로 지진피해 복구 성금을 모으자는 아이디어를 김완희 협회장에게 제시했다. 신속히 받아들여져 협회 차원의 모금제안 공문을 보냈는데, 회원들의 반응이 예상보다 너무 빠르고, 커서 놀라웠다.

협회 임직원과 회원들이 안타까운 마음으로 그들을 돕는 모금에 기꺼이 참여했던 것이다. 이에 힘입어 3일 만에 성금을 모아 국내의 어느 기관보다도 가장 먼저 주한 중국 대사관에 진달할 수 있었다. 당시 닝 푸쿠이 중국 대사는 우리의 성금을 너무나 기쁘고 고맙게 받아주었다. 이후 대사관 직원을 우리 협회의 산악회 모임에 보낼 정도로 협회와 친밀한 관계를 유지하며 서로 많은 도움을 주고받게 되었다.

모든 것이 협회의 열린 생각과 따뜻한 마음, 그리고 발 빠른 실행력 덕분이었다고 생각한다.

협회 임직원과 회원들이 안타까운 마음으로 그들을 돕는 모금에 기꺼이 참여했던 것이다. 이에 힘입어 3일 만에 성금을 모아 국내의 어느 기관보다도 가장 먼저 주한 중국 대사관에 전달할 수 있었다.

최재형 선생의 노블레스 오블리주 정신

협회의 초대연수원장과 부회장을 역임한 성원교역 김창송 회장의 발의로 설립한 '독립 운동가 최재형 기념사업회'(보훈처 등록) 활동에 참여한 것도 잊지 못할 일이다.

최재형 선생은 가난한 노비의 아들로 태어나 러시아로 넘어간 후 러시아 한인들을 위해 32개 학교를 세운 교육가요, 3개 신문사를 운영한 언론가이다. 또 안중근 의사의 의거를 배후 지원하며 독립운동에 모든 것을 바친 연해주 독립운동의 대부라 할 수 있다.

2011년 연해주 방문 당시, 김창송 회장은 사람들의 기억 속에 잊혀 가던 위대한 독립 운동가 최재형 선생의 생애와 행적을 기념하고자 최재형 장학회를 세워 어렵게 살고 있는 고려인들과 국내외 어려운 학생들을 위한 장학회를 만들었다. 공익법인 최재형 기념사업회를 설립하여 지속적으로 그분의 뜻을 기리는 선행을 해오고 있었다. 이처럼 잊힌 독립 운동가를 기리고 그 숭고한 정신을 선양하는 김 회장의 뜻에 공감한 나는 기

러시아 모스크바에서 거행된 최발렌틴 회장 영결식

념사업회의 홍보대사를 맡아 자발적으로 참여하게 되었다. 최재형 선생의 인생과 행적이 담긴 각종 책자와 홍보물을 청소년들과 주변에 적극적으로 전달하고 알리는 일에 보람을 갖고 지속해오고 있었다.

올해 2월, 러시아 독립 운동가 협회장으로 열심히 활동하던 최재형 선생의 후손 최발렌틴 선생이 사고를 당해 모스크바 병원 중환자실에 입원 중이라는 소식을 접했다. 나는 돌아가시기 전에 얼굴이라도 보는 것이 도리라고 생각되어 기념사업회 문영숙 이사장께 조속한 방문을 청하였다. 그러나 여건 때문에 바로 결정을 못 하는 입장이어서 서둘러 본인이 비행기 표를 무조건 사놓고 이사장을 설득하여 모스크바로 출발하였다.

현지에 도착했을 때는 이미 그분이 유명을 달리한 지 두 시간이나 지난 뒤였다. 우리는 잠시 망연자실했지만, 곧 정신을 차리고 최대한 예를 갖춰 이사장과 함께 그분의 장례식을 주관하였다. 현지 대사관의 도움으로 대통령 조화까지 받아서 그분의 영전에 바치고, 독립 운동가의 후손으로 부끄럽지 않도록 러시아 교민사회 내에서 성대한 장례식을 치러드릴 수 있었다. 그리고 매스컴에 이 소식을 알렸는데, 그 뉴스를 본 수많은 독지가들이 자발적으로 기부를 해주어 장례식 이후 어려운 독립 운동가의 직계 후손에게 생활비를 전달하고, 취업까지 알선해 줄 수 있었다. 귀국 시 돌아오는 발걸음이 한결 가벼웠던 기억이 난다.

서울에서도 기념사업회에 긴급히 빈소를 차려 학생, 일반인 등 각계 각층의 조문을 받아 최재형 선생의 정신을 조금이라도 선양한 것 같아 마음이 뿌듯했다. 순식간에 많은 일이 전개되었지만, 미흡한 준비에도 불구하고 마무리가 잘되어 모두에게 감사한 마음이었다. 기업인의 갑질이 난무하는 이즈음에 나눔의 정신을 실천하였던 최재형 선생의 노블레스 오블리주 정신을 알릴 수 있었던 소중한 기회였다.

50주년을 맞이하는 협회가 열린 마음으로 세계와 손잡고, 사회에 기여하며, 노블레스 오블리주 정신을 펼치는 한국 '사랑' 수입협회로 불릴 수 있기를 바라 마지않는다.

잊을 수 없는 사람, 영국인 변호사 레이덤

여 영 동 | ㈜씨네플러스 회장
KOIMA 제6대 회장

영국 신사의 매너 그리고 원칙!

사회생활, 특히 무역업을 하며 해외 많은 나라의 사업가들과 교류하며 지내왔다. 국제 비즈니스는 총칼 없는 전쟁터라는 말이 있지만, 그 안에서도 사랑이 싹트고, 우정을 나누고, 존중과 배려의 진한 인간미를 느끼기도 했다. 대학 졸업 후 1963년부터 외국계 회사의 한국주재 사무실에 근무한 경력을 기반으로 1968년 '오퍼업'을 시작하면서 무역업에 투신하게 되었다. 이후 1979년 한국무역대리점협회 회장으로 당선되어 당시 박정희 대통령 주재 수출확대 회의에 업계대표로 매월 참석하면서 수입뿐 아니라 수출을 해야만 기업인으로 자존심과 미래를 기약할 수 있다는 결심을 하게 되었다.

그는 나에게 "One Moment(잠깐)"하며 그의 서랍에서 볼펜 세트를 꺼내 다시 돌려주었다. 공직자 윤리 규정에 어떤 선물이든 US$30이 넘으면 받을 수 없게 되어 있다고 설명해 주었다.

필자가 30여 년 가까이 운영한 Korea Polymer Ltd.(1987년 상장기업)는 설립 당시 한국과 일본의 유수한 석유회사인 Nippon petrochemical, 그리고 호주의 종합상사인 Gollin과의 삼구합작(三口合作) 기업으로 일본 측은 폴리에틸렌 원료공급을, 호주 측은 판매를 책임지는 아주 이상적인 구조로 출범하여 울산공단에 공장을 건설하고, 호주와 뉴질랜드에 양모천(Woolpack, 羊毛袋)을 수출하였다.

그러나 회사가 출범한 지 얼마 되지 않아 1차 석유파동이 발생하여 세계 경제가 어렵게 되자 호주 측 투자자인 Gollin이 불행히도 파산하게 되어 청산절차를 밟게 되었고, 홍콩에 법률사무소를 둔 영국인 변호사 레이덤(Lathem)씨가 회사 법정청산인으로 선정되었다.

따라서 Gollin의 주식 소유 지분 처분을 위해 레이덤씨가 한국을 방문하여 주식 양수도 조건의 기초적인 협의를 마쳤고, 최종협의는 예의상 내가 다음 달 홍콩으로 방문하기로 하였다.

그 후 최종협상을 위해 홍콩에 갈 때, 그를 위해 어떤 선물을 할까 고민하다가 변호사라는 그의 직업을 감안하여 최고급 Dupont 볼펜 세트를 준비하였다. 그의 사무실에서 전달하며 볼펜 세트라고 설명하자 그는 반갑게 받으며 서랍에 넣어두었고, 주식 양수도 협상도 의외로 순조롭게 진행되었다. 만족한 결과를 얻게 되어 속으로는 역시 고급선물이 효과를 보았다고 생각했다. 그 다음 날 계약서를 체결한 후 가벼운 마음으로 사무실을 떠나려고 할 때 그는 나에게 "One Moment(잠깐)"하며 그의 서랍에서 볼펜 세트를 꺼내 다시 돌려주었다. 공직자 윤리 규정에 어떤 선물이든 US$30이 넘으면 받을 수 없게 되어 있다고 설명해 주었다. 때문에 내가 전달한 선물은 규정보다 비싼 고가품이기에 협상 전에 돌려주면 내가 불쾌하고 불안해 할 것 같아 모든 것이 원만히 종료된 후에 돌려준다는 것이 아닌가.

당시의 국내 상황은 웬만한 선물은 호의로 받아들이고, 또 이를 암암리에 묵인해 온 것이 관례인데, 그들은 이미 당시에 정확한 규정을 정해 놓고 있었던 것이다. 물론 지금은 한국도 이를 엄격히 지키고 있지만, 당시로써는 신선한 충격이 아닐 수 없었다. 또한 이 영국 신사의 상대방을 배려하는 매너는 더욱 놀라웠다. 나는 귀국하는 비행기 안에서 '해가 지지 않는 나라 영국', '신사의 나라 영국'이 그냥 이루어진 것이 아니라 레이덤씨와 같은 공직자가 있기 때문이라 생각했다. 오늘까지도 그에 대한 감사와 존경이 마음속에 오래도록 남아있다.

메기의 추억

유 근 회 | 부경실업㈜ 대표이사

KOIMA 이사

"옛날에 금잔디 동산에 메기 같이~" 내 기억으로는 학교도 들어가기 훨씬 전인 어린 시절, 어느 선선하고 별이 많은 가을날 밤, 아버지가 내 손을 잡고 걸으시며 한 소절씩 가르쳐 주신 노래이다. 나는 '메기의 추억'을 흥얼거리면 왠지 마음이 차분해지고 따뜻해지며, 환히 웃으시던 아버지의 얼굴이 떠오른다. 그래서 지금도 마음이 불편할 때나 어려움을 겪을 때, 반대로 아주 좋은 일이 생겼을 때도 이 노래를 낮은 목소리로 부르는 습관이 있다.

올해 59세인 나는 KOIMA의 2세 회원이다. 우리 회사가 협회와 처

음 인연을 맺은 것은 1978년이다. 돌아가신 아버지께서 설립하신 부경실업㈜에서 나는 28년째 일하고 있고, 그중 20년을 아버지를 모시고 일했다. 많은 시간을 함께하면서 아버지로부터 배우고, 칭찬받고, 때로는 꾸중도 들었지만 세상에서 가장 존경했고, 사랑했던 아버지와 일상의 많은 부분을 함께 했던 시절이 참으로 그립다. 나의 사업은 아버지로부터 이어진 것이어서 그분에 대한 이야기부터 해야겠다.

아버지는 1929년생으로 지금은 이북 지역인 고향 경기도 개풍군에서 서울로 나와 고학하시던 시절에 6.25가 발발했다. 인민군에 속수무책으로 낙동강까지 밀렸던 우리 정부가 9.28 서울 수복 후 실시한 공군사관학교 2기생도 모집에 합격하여 생도로서 참전해 목숨을 걸고 나라를 지키셨다. 그리고 70, 80년대에는 허리띠를 졸라매고 경제개발 시기를 보내신 그야말로 우리나라의 'Great Generation'이다. 나는 내 아버지를 포함한 그 시절 선배님들께 항상 존경심과 감사한 마음을 가지고 있다. 그분들의 희생과 노고가 아니었으면 오늘날 이 나라의 이 모습이 가능했을까? 아버지는 북에 계시던 부모님에 대한 그리움을 가슴에 안고 홀로 앞길을 개척한 분이었기에 인내심이 강하고, 타인에 대한 배려심이 많은 분이셨다. 원칙주의자였던 아버지는 거래와 납세에 있어서 어긋남이 없이 운영하셨고 20년 전 대표이사직을 넘겨주시던 시점에 당부하신 말씀도 "당당하게 해라. 시시하게 연연하지 말고 세금은 성실하게 납부하고, 고객에게 납입한 제품과 서비스에 대해서는 약속한 것을 어기지 마라."고 당부하셨다.

필자 아버지 고 유수호 회장 (오른쪽 세번째), 1989년

부경실업은 우리나라 산업이 빠른 속도로 발전하고 수출이 호조를 보이기 시작하던 1978년에 설립되었다. 초창기부터 제당, 반도체, 화섬, 제철, 석유화학 분야 등의 국내 대규모 수출업체들에 생산공정제어시스템(DCS)을 공급하고 있다. 우리 엔지니어들이 소프트웨어를 설계하고 하드웨어는 국내외 공급사로부터 구매해서 완성된 시스템을 구축한다. 되돌아보면 직접 수출은 그리 많이 하진 못했어도, 우리가 공급한 공정제어시스템과 장비로 생산된 제품들이 세계시장에서 높은 경쟁력을 발휘해서 우리 고객들인 대기업들의 수출이 늘어나고, 나라 경제가 활기를 띠는 모습을 바라보는 것은 참으로 보람차다.

고객에게 공급한 시스템의 유지보수를 위해서 우리 엔지니어들을 해외 공급사에 일정 기간 파견해 하드웨어와 소프트웨어 교육을 받고 기술 라이선스를 취득하게 했다. 해외 공급사의 기술교육은 3개월씩 8회에 걸쳐 2년이 넘는 기간 동안 진행되었다. 회사가 인복이 있어 임직원 중 다수가 20년, 30년이 넘는 세월을 함께 일하다가 정년퇴직하는 경우가 많다. 또 퇴직 후 서로의 필요에 따라 연장근로 계약을 맺어 더 오래까지 함께 일하고 있는 분들도 있다. 시니어들의 경험과 노하우 그리고 젊은 직원들의 패기가 어우러지면 시너지 효과가 극대화되어서 강한 힘을 발휘할 수 있겠다고 생각했다. 그런 희망으로 따뜻하고 유연한 조직을 만들고자 노력했다. 하지만 항상 바라는 방향대로 상황이 진행되는 것이 아니다 보니 신중하게 뽑아놓은 젊은 직원들이 경험 많은 시니어들 밑에서 버티지 못하는 경우도 있어 아까운 인재들을 잃기도 했다.

아버지로부터 배우고 깨우쳐진 수많은 일들 중 소재 분야의 공업용 다이아몬드 사업이 인상 깊다. 우리나라의 다이아몬드 공구 산업은 전 세계 상위 5개 제조사 가운데 2개사가 한국 업체일 정도로 경쟁력이 높았다. 그 당시 이들 메이저 업체들은 주로 미국의 GE나 영국의 De Beers, 그리고 독일의 Winter 등으로부터 30여 종의 등급과 사이즈가 각기 다른 공업용 다이아몬드를 공급받아 공구를 생산했다. 그런데 공업용 다이아몬드의 원가 비율이 절삭공구 완성품의 40%에 달할 정도로 높았다. 소재와 자재를 수입해서 완성품을 만들어 수출하는 국내업체들의 입장에서는 낮은 가격에 원재료를 공급받는 것이 무엇보다 중요한 이슈였다.

'어른의 말씀을 들으면 자다가도 떡이 생긴다.'라는 말처럼 거의 포기할 뻔한 사업을 아버지 말씀에 따라 다시 시도해서 성공과 보람을 맛본 잊지 못할 기억이다.

그러던 중 1999년 말 독일의 Winter사가 중국에서 BBW란 브랜드로 공업용 다이아몬드를 생산하다가 사업을 접고 철수하게 되었다. 그 공장에서 일하던 중국인 엔지니어들이 독일 Winter사로부터 배운 기술로 생산을 계속하고 싶어한다는 소식을 접하게 되었다. 베이징 외곽에 소재한 공장을 찾아가 보니 설비는 시험 생산용 6면 압축기 몇 대와 재료 배합기, 선별기 등이 전부였다. 하지만 10년 이상 생산 경력의 엔지니어들이 프리미엄급 다이아몬드 파우더를 생산할 수 있다는 자신감에 눈을 반짝이고 있었다. 그들이 필요한 건 자본 투자와 해외, 특히 한국 시장에서의 마케팅이었다. 투자 여부는 한국에서의 시장성과 제작한 샘플의 품질을 테스트해보고 결정하기로 했다.

공업용 다이아몬드 파우더는 이를 사용한 공구의 절삭력과 전력소모량, 절삭속도 등이 안정적으로 유지되기 위해서 경도와 열경도 기준값 오차 범위는 +/−3, 그리고 사이즈 분급 비율은 +/−5 이내로 일정해야 한다. 2000년 3월부터 국내의 세계적인 공구회사인 A사를 설득해 중국 공장에서 생산된 2주 간격의 롯트 별 샘플을 받아서 A사 연구소에서 테

스트하기 시작했다. 당시 A사는 다이아몬드 공구를 연간 2,000억 원 가까이 해외로 수출하고 있어서 수출 경쟁력을 위한 원가 절감에 관심이 많았다. 첫 번째 결과는 합격점이었고, 2주 후 생산된 롯트에서 채취된 샘플을 받아서 시행한 2차 테스트도 합격이었다. A사의 연구원들이나 애초 반신반의하며 테스트를 허락해주었던 이 회사의 생산 담당 임원들의 기대감도 높아지기 시작했다.

그러나 그로부터 2주 후의 샘플은 불합격이었고, 1년여에 걸쳐 거의 30회 정도 진행된 샘플 테스트는 합격과 불합격을 반복하면서 사용자 입장에서는 믿고 안정적으로 사용할 수 없는 상태가 되었다. 매월 2~3회 지방에 소재한 A사를 방문하는 길이 익숙해지고 연구원들과도 친숙해졌지만, 사업 가능성은 희박해져 갔고 담당 연구원들도 피로감을 느끼기 시작했다. 심지어는 아무래도 품질의 안정성이 없어서 안 되겠으니 이젠 그만하자는 이야기까지 듣게 되었다. 물론 충분히 이해가 가는 상황이었다. 이 기간 나는 중국 공장에도 10회 이상 방문해서 문제를 해결하고자 열정을 가지고 노력했으나 불안정한 품질에 지쳐가고 있었다. 1년간의 시간과 비용이 아까웠지만 더 이상 중국산 다이아몬드에 매달리는 것은 추가적인 낭비라는 생각이 들었다. 급기야 어쩔 수 없이 이 사업을 접어야겠다고 아버지께 보고 드렸다.

자세한 설명을 들으시고 난 후, 아버지께선 품질을 안정화시킬 수 있는 방법을 찾아서 다시 시도해보라 하셨다. 예를 들어 고객사를 설득해

서 그들이 가지고 있는 품질 관리 매뉴얼을 중국 생산 공장에 전수해서 품질을 안정화해보면 어떻겠냐고 하셨다. 포기하지 말고 서로에게 도움이 되는 방향으로 길을 한 번 더 찾아보라고 강하게 말씀하셨다. 난 현실적으로 힘들 것 같다고 말씀드렸다. 많은 경쟁사들이 가격과 품질을 맞춰서 서로 공급하겠다고 제안하는 상황에서 고객이 품질 관리 지도까지 해가면서 제품을 쓸 리가 만무했다. 게다가 지난 1년 동안 반복되었던 합격과 불합격, 그리고 사업에 있어서 중국 사람들과의 사고와 문화 차이 등에 막막함을 느꼈던 나는 이 사업은 그만두는 것이 낫다는 생각이 들었다.

하지만 아버지의 말씀을 거스를 수가 없었기에 다시 한번 시도했다. A사의 생산 담당 임원을 찾아가서 소재 담당 연구원과 검수원의 중국 다이아몬드 공장 파견 및 생산과정에서부터 사이즈 분류까지의 품질 관리 교육을 요청했다. 여행경비와 체재비용을 우리가 지불한다는 조건을 달았다. A사 임원은 처음엔 다소 황당한 표정을 지으며 자신들도 많이 바쁜데 무슨 이유로 그렇게까지 해서 자재를 구입해야 하느냐는 반응이었다. 그래서 원가 절감을 강조하며 품질이 불규칙한 것을 바로 잡아 비슷한 품질의 다이아몬드 원자재를 기존 서구의 메이저 제조사들보다 훨씬 낮은 가격에 공급하면 A사에게 큰 이득이 아니냐고 설득했다. A사 임원은 며칠 좀 생각해보고 답을 주겠다고 했다.

일주일쯤 후에 연락이 왔다. 그렇게 해보자는 것이었다. 단, 품질이 안정화되면 기존 공급사 가격의 60% 정도로 공급하겠다고 약속하는 것이 조건이었다. 또 연말에 가격을 제출하면 그 가격이 그 이듬해 말까지 유지되어야 하는 1년 단위 계약을 해야 한다는 조건이 추가되었다. 우리 입장에서는 다이아몬드를 생산함에 있어 원자재의 변동에 따른 제품 가격 인상분을 떠안아야 하는 부담이 있었지만, 반대로 결정된 가격에 맞춰 안정적으로 가격이 유지되는 장점도 있기에 그렇게 하기로 했다. 그 후에 많은 난관을 극복하고 품질 안정화에 성공하여 공업용 다이아몬드 사업의 누적 매출액은 500억원이 넘었다. '어른의 말씀을 들으면 자다가도 떡이 생긴다.'라는 말처럼 거의 포기할 뻔한 사업을 아버지 말씀에 따라 다시 시도해서 성공과 보람을 맛본 잊지 못할 기억이다.

경기가 하향으로 치닫고 있는 상황에서 코로나까지 전 세계로 확산되어 이 시절에 적절한 사업을 하는 회사나 뛰어난 실력을 갖춘 회사들을 제외하고 모두 어려운 것 같다. 우리 회사도 올해 상반기 매출이 작년의 같은 기간 대비 많이 줄어들었다. 모든 분야가 그렇겠지만 특히 산업 생산 관련 설비와 소재 분야는 제조업이 위축되고 있어 당분간 더욱 어려울 것 같다. 실제로 요즈음 몸은 그렇게 바쁘지 않지만 마음은 좌불안석이다. 이럴 때 분명 끈기와 여유를 가지라고 하실 것 같은 아버지가 그립다. '물레방아 소리 들린다. 메기, 내 사랑하는 메기야' 나지막이 이 노래를 부르며 마음을 차분히 가라앉히고 아버지의 얼굴을 떠올린다.

한국수입협회 창립 50주년을 맞이하며

유 장 희 | 전 동반성장위원장

KOIMA위원회 위원장

한국무역의 산증인이자 중심축 역할을 해온 한국수입협회가 창립 50주년을 맞은 것은 한국경제 성장사에서 하나의 큰 획을 긋는 일이라 생각된다. 창립할 당시 한국경제는 문자 그대로 고도성장의 우렁찬 굉음이 천지를 진동시킬 정도로 눈코 뜰 새 없이 바쁜 시기였다. 제3공화국이 내세운 경제개발 2차 5개년계획의 4차년도로서 대기업, 중소기업을 막론하고 생산공장을 신설하는데 여념이 없을 정도였다.

수출입국(輸出立國)의 캐치프레이즈를 걸고 해외시장 개척에 기업인들이 문자 그대로 몸 바쳐 일하던 때였다. 1968년 2월에 착공한 경부고속도로가 1970년도 7월에 개통이 됨으로써 우리나라 제1의 무역항 부산과 서울이 일일생활권으로 바뀌었다. 전국 곳곳에 추가로 도로망이 개설

디지털 혁신 시대에 KOIMA가 해야 할 일 한 가지를 더 주문한다면 제4차 산업혁명의 선두에 선 국가들로부터 첨단기술(IT, BT, CT, ST 등)을 흡수해 들여오는 데에도 앞장을 서달라는 것이다.

됨으로 물류 시스템에도 큰 변혁이 일어났고, 이로 인해 우리나라 경제 발전은 전국적으로 확대되었다. 경제성장률도 1970년도에 10%를 상회하였으니 그 발전의 속도를 미루어 짐작할 수 있는 때였다.

수출입국이 우리 경제 성장의 가장 중요한 슬로건이었으나 사실상 자원이 부족하고 기술력이 뒤떨어져 있고 또 기초 원자재가 생산되지 못하는 나라에서 수출할 제품을 만들어 내는 일은 불가능에 가까웠다. 당시 경공업 제품, 이를테면 섬유제품, 신발, 완구류, 전기제품 등과 철강, 기계, 화학제품들을 생산하여 수출하라고 정부가 독려하고 있었는데 이를 생산하려면 원사(原絲), 원피(原皮), 올레핀(olefin), 원동, 보크사이트 등 원자재가 필수적이었다. 이 문제를 해결해주는데 수입대리점들이 큰 역할을 해주었다. 따라서 한국수입협회를 일으키신 70년대의 선배 대리점 기업인들은 우리나라 경제가 고도성장을 이룩하는 데 결정적 기여를 한 큰 공로자들이라고 평가하는데 이의를 달 사람은 아무도 없다고 생각한다.

지금 회고해 볼 때 당시 정부는 수출의 날을 정하여 매년 수출을 몇 억 이상씩 달성한 기업들에게는 금탑, 은탑, 동탑, 철탑 등 산업훈장을 수여하곤 했다. 그러나 아쉽게도 양질의 원자재를 싼값에 수입하여 수출을 가능하게 한 수입업자들에게는 이렇다 할 표창이 없는 형편이었다. 하나는 알고 둘은 모르는 처사였다. 1964년 제정된 수출의 날은 1989년까지 같은 모양으로 개최되다가 수출만 강조하는 것이 모순이라고 깨달았는지 1990년도부터는 이를 무역의 날로 고치고 날짜도 매년 12월 5일로 바꿨다.

앞으로 수입기업들의 역할이 점점 더 중요해지리라고 본다. 강대국들의 패권 경쟁 때문에 국제 통상환경이 급변할 가능성이 있고, 또 코로나-19와 같이 예기치 못한 질병 발생으로 인해 우리의 수출, 수입 전선에 이상 현상이 발생할 가능성이 높아지고 있다. 예를 들면 얼마 전 일본과 지소미아(GSOMIA) 논쟁이 벌어졌을 때 일본 측으로부터 일방적으로 반도체 및 디스플레이 생산에 필수 원자재인 포토레지스트, 고순도 불화수소, 플루올린 폴리이미드 등을 수출하지 않겠다고 우리에게 압박을 가해온 적이 있다.

그때 우리 KOIMA 회원사들이 이러한 난국을 극복하기 위해 일본이 아닌 제3국으로부터 동일한 원자재를 수입해보겠다고 온 세계 원자재 시장을 조사하고 현지답사를 하는 모습을 우리는 보았다. 이에 대해 산업부, 통상교섭본부 등도 KOIMA에 감사와 격려의 메시지를 전해온 것으로 알고 있다. 또 하나 앞으로 KOIMA 회원사들이 우리나라를 위해 일해 줘야 할 분야가 있다. 경제외교 분야이다. 최근 벌어진 선진국들의 자국시장 보호 정책에 더하여 코로나-19로 인한 각종 격리조치 때문에 국가 간의 소통이 점점 막혀가고 있는 실정이다. 이런 때일수록 우리는 우리와 긴밀한 통상관계를 맺어 왔던 제3 세계권 국가들과 유대를 강화해야 한다. 쉽게 말해서 강대국들은 자기보호 정책을 확대해가더라도 중진국, 개도국끼리는 이를 오히려 기회로 인식하고 더욱 적극적인 공존공영의 통상외교를 펴나가야 한다. KOIMA가 이를 해낼 수 있다. KOIMA가 주최하는 각종 친선행사에 수많은 중진국, 개도국 외교관들이 참석하는 경우를 필자는 여러 번 보았다.

지난 50년을 KOIMA의 성장기였다고 본다면 앞으로 50년은 도약기라고 보고 싶다. 부존자원이 부족한 우리나라 경제는 부득불 해외로부터 이들을 수입할 수밖에 없다. 자원뿐만 아니라 완제품 수입도 선진경제로 진입할 우리 경제의 경우 외국산 우수 제품을 경제성을 고려하여 자유롭게 수입해 쓰는 나라가 되어갈 것이다. 국내 생산업체들도 이들 해외 제품과 공정하고 투명하게 경쟁해 나감으로써 스스로 경쟁력을 향상하는 데 오히려 좋은 기회가 될 것이다. 또 한국이 선진화되어 가는 모든 과정에서 KOIMA 회원사들이 선도적 역할을 해주실 것이라 믿는다. 왜냐하면 급변하는 세계시장의 여건에 대해 KOIMA 회원사의 대표들은 항상 출중한 국제적 감각으로 이를 예의 주시해 나갈 것이기 때문이다.

지금 가파르게 진행 중인 디지털 혁신 시대에 KOIMA가 해야 할 일 한 가지를 더 주문한다면 제4차 산업혁명의 선두에 선 국가들로부터 첨단기술(IT, BT, CT, ST 등)을 흡수해 들여오는 데에도 앞장을 서달라는 것이다. 발트 3국 중의 하나인 에스토니아는 전 국민의 디지털 지식인화에 큰 성공을 거두고 있는 나라다. 듣기에는 그 배경에 정부와 협력하여 선진국들로부터 최신 디지털 기술과 이의 활용법을 적극적으로 수입해 들여온 기업인들의 노력이 있었다는 것이다. 지금 에스토니아는 전 세계가 알아주는 ICBM(IoT, Cloud Computing, Big Data, Mobile)을 선도하는 모범 국가가 되었다. 우리에게 시사해 주는 바가 크다.

다시 한 번 한국수입협회의 창립 50주년을 축하한다.

국가발전에 미치는 영향에 관한 좋은 예

윤 병 화 | 우방티엠씨 대표

전 KOIMA 고문

무역을 통해서도 국익 증진과 국민들의 이익을 구현할 수 있다면 그 또한 보람되고 기쁜 일이 아니겠는가. 아직은 국제적인 감각도 부족하고 과감히 국제시장에 도전할 만한 용기도 부족했던 시절이지만, 반짝이는 지혜와 용기로 국가와 업계에 도움을 주었던 이야기이다.

당시로써는 사입 리스크가 있고 다소 도전적인 무역대리점업을 1975년 5월에 창업하여 유럽과 미국의 발전된 선진 섬유산업의 설비 및 기술, 노하우 등을 국내에 소개하고 있었다. 그 무렵의 시대상을 미리 알아야 할 필요가 있다. 8·3 조치 등과 함께 국내 경기 부양을 위해 수출제일주의 정책을 추진하던 박정희 대통령 정부는 수출확대를 위한 시장 다각화를 강력히 추진했다. 반공을 국시의 제1정책으로 지향하던 시대에

삼각무역(Triangular Trade)을 하면 어려운 점을 헤쳐나
갈 수 있을 거라는 결론에 도달하게 되었다.
기계의 실수요자들에게 동유럽국가와의 교역이
문제가 없다는 확신을 주기 위해...

공산권인 동유럽국가와의 교역과 직접적인 접촉은 엄두도 낼 수 없는 사회 분위기였다.

그 당시 우리나라 제일 수출산업 중 하나인 섬유산업의 수출물량을 크게 확대하기 위해서는 생산성과 경제성이 높은 초고속 직기인 Air jet Loom과 Water jet Loom의 도입이 불가피하며, 그 수요도 막대하다는 것을 알게 되었다. 그런데 이 고속 직기 Jet Loom의 제작사로는 세계적으로 오직 일본 3개 회사와 공산권인 동유럽의 1개 회사뿐이었다.

공산권인 동구권에서의 해당 설비 수입이 거의 불가능하다는 한국의 특수상황을 잘 파악하고 있었던 일본의 3개 제작사는 국내시장을 자국의 3개사가 균등 분점하며 고가 판매정책으로 시장을 지배하고 있었다. 즉, 대당 가격을 US$15,000.으로 고수하며 여유롭게 판매하고 있었다. 이 기계를 필요로 하는 한국 업자들은 울며 겨자 먹기로 비싼 가격에 이 기계를 구입해 사용할 수밖에 없었다.

이 불합리한 상황을 알게 된 나는 해결방안을 모색하던 중에 대학에서 섬유공학을 전공했을 때 배웠던 Jet Loom의 최초 개발자이자 특허 소유자가 체코슬로바키아의 Investa사임을 기억해 내었다. 또 일본의 3개 제작사 중 1개사가 이 회사와 기술 제휴로 제작하고 있음을 알아냈다. 따라서 우리나라에 막대한 불이익을 주는 불공정거래를 타파하기 위해 원천기술 보유 제작사인 Investa Jet Loom의 도입방안을 깊이 강구하게 되었다.

드디어 해결방안으로 중립국가인 스위스의 한 무역회사를 통해 삼각무역(Triangular Trade)을 하면 어려운 점을 헤쳐나갈 수 있을 거라는 결론에 도달하게 되었다. 기계의 실수요자들에게 동유럽국가와의 교역이 문제가 없다는 확신을 주기 위해 우리 정부의 책임 있는 해명서가 필요했다. 이를 위해 삼각무역을 통한 나의 방안에 대해 상공부에 공식 질의하였고, 정부 정책상에 전혀 문제가 되지 않는다는 상공부 장관의 회신공문을 입수하게 되었다.

드디어 체코슬로바키아의 Investa사를 접촉하여 이쪽 여건을 설명하고 제공할 수 있는 공급가격을 받아보니 대당 US$10,000.선이었다. 일본 제품의 가격에 비해 가격 조건이 월등히 좋아 즉시 US$10,000.로 국내에 소개하기 시작했다. 많은 고객 또한 즐거운 마음으로 Investa Jet Loom을 지속적으로 구매하게 되었다.

이 소식을 탐지한 일본의 3개 제작사는 긴급회의를 진행, 지금까지의 판매가격인 US$15,000.에서 US$10,000.로 인하하여 Investa사와 경쟁을 하게 되었고 이미 계약한 가격도 재조정할 수밖에 없었다.

결과적으로 우리나라에 총수입된 Jet Loom 수량은 20만대를 넘었으며, 대당 US$5,000.을 절감한 가격으로 계산해보면 약 US$10억이 직접적으로 절감됐으며, 부수적으로 구매해야 할 부품 및 부대비용 등을 고려하면 막대한 금액인 US$15억 이상을 절감했다고 볼 수 있다.

지난 40여 년간 무역대리점을 운영하면서 오늘날에도 당시의 쾌거를 돌이켜보면 큰 기쁨과 자부심을 느끼게 해준다. 수입업을 하면서 국가와 업계를 위해 보람된 큰 일을 할 수 있었다는 것은 사업하는 사람으로서 나름 긍지를 느낄 수 있게 해주었다. 그리고 개인적으로 이 모든 것을 가능하게 하신 하나님께 감사드린다.

무모하지만 용감하게

윤 태 호 | ㈜웨스턴테크닉 대표이사

KOIMA 자문위원

일전에 김창송 회장님께서 수입협회 50주년 기념 수필집을 책자로 발간하는 책임을 맡으셨다고 전화를 주시며, 내게도 글을 한편 올려보라고 권유하신다.

어떤 내용의 글을 써야 할까 망설이다가 회장님 회사 성원교역에 입사하게 된 때부터 약 5년간이 내 인생의 격동기였기 때문에 이때를 회상하며 글을 써보아야겠다는 생각이 들었다. 1975년부터 79년까지를 생각해보면 지금도 참 무모하지만 용감하게 살았다는 생각이 든다.

덕수상업고등학교를 졸업할 때 응시했던 은행 시험에서 낙방을 하고 실의에 차 있을 때 학교추천으로 입사한 설탕 대리점에서 6개월을 근무하다 악성빈혈에 걸려 3개월간 치료를 하고 아버님 친구분이 경영하는 무역회사에 입사하게 되었던 것이 무역과 인연을 맺게 된 동기가 되었다. 부모님이 연만하시고 살림이 넉넉하지 못해 대학 진학을 포기하고 주경야독으로 무역을 공부해 나가면서 작은 회사의 업무를 하나하나 익혀 나가던 때가 1971년부터 74년 1월까지였다.

이때 걸어서 5분 거리에 있던 성원교역을 가끔 방문해 김 사장님께 인사를 드리고 라텍스 오퍼를 받아 수입허가를 받고 신용장을 개설하던 기억이 난다.

그 당시만 해도 군대에 가게 되면 일반적으로 퇴사 처리가 되는 것이었는데 다니던 회사의 사장님께서 나에게는 특별히 군대를 제대하면 다시 와서 일하라는 말씀과 전별금으로 퇴직금에 맞먹는 봉투를 주셔서 훈련소에 편한 마음으로 입소하였다. 용산에 있는 부대로 배치를 받아 국방의무를 다하면서도 가끔 회사에 계신 분들이 오셔서 위로도 해주시고 맛있는 것도 많이 사주셨던 기억이 난다. 그러나 7개월 뒤에 회사는 국세청 조사를 받으면서 폐업을 하게 되고 나는 의가사 제대로 74년 11월에 전역하고 나니 오갈 곳이 없어졌다.

이 당시 은행에 다니던 친구들을 찾아다니며 공짜 술도 얻어 마시고 취업 정보도 얻으려 노력하였던 기억이 난다. 크리스마스이브 날 명동성당 앞에서 친구들과 술을 마시고 그 당시 살던 면목동을 향해 걸어가자 통금 시간이 임박해 헐레벌떡 뛰어서 골목을 찾아 경찰을 피해가던 기억도 난다.

학교에서 취업 담당 선생님께서 추천을 해주셔서 명동에 있던 한국해상급유주식회사에 취직을 하게 되어 1975년 1월에는 직장을 잡을 수 있었다. 14층에 있는 사무실을 엘리베이터를 타지 않고 걸어 오르며 정주영 회장을 흉내 내던 때도 있었다. 만 1년간 회사 임직원들의 신임 속에 3개과를 돌면서 일을 배우며 생각한 것이 이것이 내 적성에 맞는가 하는 것이었다. 배를 타고 선원들과 외국적 배에 기름을 넣는 일이 중심인 것인데 내가 희망하는 직종은 아닌 것으로 판단되어 수출학교의 최 국장님에게 상담을 요청하였다. 그분의 말씀은 제조업을 하면서 무역 부문을 경영하는 회사를 가게 되면 많은 것을 배울 수 있다고 조언을 해주셔서 75년 말에 이직을 결심하였다.

그래서 찾아간 곳이 성원무역이었으며, 김 사장님의 흔쾌한 결정으로 76년 1월부터 회사를 옮겨 근무하게 되었다. 기존에 다니던 회사는 대한석유공사의 대리점으로 기반이 탄탄하고 급료도 높았으나 무역을 배워야 한다는 생각으로 전업을 하였던 것이다. 성원에서는 오랫동안 일을 하지 못했다. 6개월간 일을 해보니 역시 제조업이 있는 곳에 가야 일을 배울 수 있겠다는 생각이 깊어져 신문광고에 난 기사를 보고 입사원서를 제출하였다. 마침 회사 테니스대회가 있는 날이 시험일자라 테니스 가방을 들고 시험장에 들어가 시험을 보고 답안지를 제출하고 나와서 운동을 하였던 기억이 난다.

며칠 후에 칼빌딩 앞에 가보니 내 이름이 합격자 명단에 들어 있었다.

직접 포장하고 컨테이너에 박스를 실어
컨테이너 차량이 서서히 움직이는 것을 보면서
눈물을 훔치고, 통행금지 시간에 걸려 마포의 여인숙
에서 소주를 기울이며 울고 웃던 동료들 생각이 난다.

기조실에 가서 K 차장과 면담을 하면서 면접일자를 바꾸어 달라고 말씀드리니 사유를 묻는다. 예비군 훈련이 나와 인제에 가서 동원훈련을 받고 와야 한다고 하니 검토해 주겠다고 하신다.

훈련을 마치고 담당 이사님과 면접을 보게 되었다. 내 이력서를 보시더니 성원에 근무하냐고 하신다. 그렇다고 하니까 이직을 하지 말고 성원에서 열심히 일하라고 하신다. 왜 그러시냐고 하니 입사를 고졸로 하게 되는데 그러면 제조업체인 삼화고무에서 성원의 월급을 맞춰줄 수 없다고 하신다. 대충 비교해보니 약 40% 정도 차이가 난다.

그래서 일을 배우기 위해 이직을 결심한 것이니 그 정도는 감수하겠다고 말씀드리고 점심 사먹던 것은 도시락으로 대체하고 택시 타던 것은 버스로 움직이면 되니 입사를 하게 해달라고 말씀을 드렸다. 단, 입사 시 경리부서나 관리부서가 아닌 영업부서로 발령을 내달라고 요청을 드렸다. 임원면접을 끝내고 기다렸다 사장님 면접을 보게 되었다. 조선견직의 자회사였던 범표신발 삼화고무는 삼남인 김영주 회장이 경영을 맡고 있었으며 그룹에서 종합무역상사로 키우기 위해 집중적으로 투자를 해서 사세가 크게 신장하는 중이었다.

김 사장께 인사를 드리고 자리에 앉으니 타임지를 보여주시며 번역을 해보라고 하신다. 어렵지 않게 번역을 해드리니 어떤 일을 하고 싶으냐고 물어보아 해외영업을 하고 싶다고 대답하고 경리나 관리를 맡기면 오지 않겠다고 의사를 확실히 밝혔다.

입사가 결정된 후에 김 차장께 물어보니 시험 성적이 우수했다고 이야기하신다. 71년부터 75년까지 독학을 하고 현업에서 배우며 수출학교에 다녔던 덕택에 종합무역상사 시험에 합격해서 섬유사업부에서 일을 시작하게 된 것이다. 비록 급료는 적었지만 79년 1월까지 신바람 나게 일을 하였던 기억이 난다.

그 당시에는 섬유산업이 사양 산업이라고 해서 많은 사람들이 기피하고 석유화학이나 철강 등의 산업으로 대이동이 일어나던 시기이다. 이 업계는 남에게 잘 가르쳐주려 하지 않는 특성이 있는 듯하였다. 처음에는 서류를 작성해 바잉 오피스를 찾아가 확인서를 받고, 부서에 넘기는 일을 시작하였다. 처음 접해보는 말이라 Size assortment, Color assortment의 의미를 몰라 에도텍스라는 바잉 오피스에 가서 설명을 듣고 패킹과 인보이스를 작성해 갖다 주었던 기억도 난다.

3개월간 Documentation을 해서 섬유수출 업무가 이해되기 시작할 때 이태리에서 바이어가 내한하였다. Mr. Dider라는 50대 초반의 후덕한 이태리 분이었다. 봉제품 검사를 하기 위해 하청공장에 가서 문제점을 설명해야 하는데 목에서만 간질거리고 영어가 입에서 나오질 않는다. 답

답한 마음에 가슴을 주먹으로 치면서 사과를 하고 6개월 뒤에 왔을 때는 영어로 유창히 설명을 드리겠다고 약속을 하고 헤어졌다.

그래서 가장 늦은 시간에 광화문에 있는 윤선생 영어교실에 나가 회화를 배우기 시작하였다. 그 당시 같이 공부하던 친구로는 얼마 전 호서대학원장을 역임하고 퇴임한 K 교수가 있다. 6개월이 화살같이 지나 다시 디디에씨를 공항에서 영접해 검사를 나가 유창하게 영어로 설명해 주니 눈을 크게 뜨며 내 영어 실력이 당신보다 낫다고 엄지척을 해준다. 이때가 1977년 봄이었던 것 같다.

섬유 장사의 핵심은 샘플이다. 바이어가 갖고 온 디자인과 샘플을 보고 그들이 좋아하는 견본을 만들며 원가를 계산하고 상담전략을 짜서 상대를 설득시켜야 내가 원하는 단가를 받을 수 있다. 샘플을 만들기 위해 을지로 견본실에서 철야를 한 적도 많고, 바이어가 좋아하는 색상과 원단과 부자재를 확보하기 위해 숱하게 동대문·남대문 시장을 누비고 다녔다. 저녁 8시가 넘어 대한항공 소공빌딩에 원단을 메고 드나들던 사람은 몇 안 되었다. 그중의 하나가 나였다고 자부한다.

만 1년을 서류작성, 작업지시서 작성, 하청공장 관리, 샘플제작, 원가계산, 검사담당의 일을 하고 나니 섬유 영업맨으로서의 기본 자질을 갖추게 되었다. 담당 과장은 서기석씨로 외대를 나온 엘리트였다. 그분을 도와 일을 하며 77년 가을에 직접 영업을 하라는 지시를 받고 바이어 영접부터 패턴제작, 견본자재 구매, 견본제작 등의 일을 끝내고 영업에 들어갔다. 그 당시 임금의 인상속도가 빨랐다. 특히 봉제라인에 있는 작업자들은 하루에 몇 백 원만 더 준다고 하면 조장 인솔하에 자리를 옮겨버리는 일이 다반사였다. 이로 인해 작업 진행이 늦어지거나 품질에 문제가 많이 발생했다. 이런 내용을 알기 때문에 바이어에게 한국의 실정을 상세히 설명하고 내년 봄 작업을 원활하게 하기 위해 이 정도 공임은 확보해야 한다는 것을 설명해 주니 이해하고 계약서에 사인을 해줬다. 지금 명동에 나가보면 피오루치라는 이름의 브랜드가 내 파트너였다. 내년 작업을 위해 품의서를 쓰면서 내년도 임금인상 예상분을 적용해 올리니 담당부장께서 호출을 했다. 그래서 눈으로 보고 경험한 것을 그대로 설명 드리고 높은 임금을 적용해도 15% 이상의 마진이 확보됨을 강조해 결재를 받았다.

78년 초에 많은 직원들이 하청공장과 계약체결에 어려움을 겪고 있을 때, 내가 진행하는 오더는 원활하게 작업이 진행되어 납기를 마치고 최고의 수익을 올리는 명예를 얻었다. 그 당시에는 섬유제품에는 쿼터제가 적용되어 12월 31일 12시 전까지 컨테이너를 출발시켜야 했다. 인원이 부족해 마포에 있는 공장에 나가 직접 포장하고 컨테이너에 박스를 실어 컨테이너 차량이 서서히 움직이는 것을 보면서 눈물을 훔치고, 통행금지 시간에 걸려 마포의 여인숙에서 소주를 기울이며 울고 웃던 동료들 생각이 난다.

1년을 즐겁게 일을 하고 연말 보너스를 받는 자리에서 일이 터졌다.

아침저녁을 가리지 않고 밤낮없이 뛰어 목표를 달성했는데, 옆에서 오퍼만 하는 화학사업부는 우리의 3배나 되는 보너스가 지급된 것이다. 이에 직원 전체가 과장님이 살던 동부이촌동 아파트에 몰려가 중국음식을 시켜 놓고 성토대회를 열었다. 이사님이 찾아오시고 술 한잔한 김에 이사님을 앉혀 놓고 1시간가량 경영 강의를 하고 그러다 보니 회사에 있기가 어렵게 되어갔다. 1979년에는 장가를 가야 하는데 월급은 쥐꼬리고…

삼화 근무 기간 중 사장님 사모님을 모시고 대구에 내려가 군경미망인협회의 안 회장을 만나 하청계약을 맺고 지원하던 일이며 여러 가지 일이 생각난다. 막상 회사를 떠나겠다고 사표를 내놓고 나니 그동안 회사로부터 받은 은혜에 조금이라도 보답을 해야 한다는 생각에 약 30여 페이지에 걸쳐 발전 방향을 적어 우편으로 보냈는데 사장님께서 읽어 보셨는지는 잘 모르겠다.

1월 초에 신문광고를 보고 외국인 회사에 원서를 제출하고 면접을 보았다. 불란서무역공사라는 회사인데 책임자였던 이브 로세르씨와 영어로 2시간에 걸친 인터뷰를 하고 입사가 결정되었다. 그 당시 급료가 10만 원이 조금 넘는 수준이었고 종합무역상사의 과장급이 20만 원 정도 받고 있었다. 급료를 이야기하기에 금년 중 결혼 계획이 있으며 부모님도 모셔야 하고 또 자식들이 태어나면 25만 원 정도는 받아야 한다고 하니 흔쾌히 수락하며 경영 담당 부사장이 불란서에서 오는 대로 최종 면접을 하자고 했다. 그래서 나이 28살에 외국인회사의 과장 명함을 갖고 대기업 과장과 같은 월급을 받아 결혼을 준비할 수 있게 되었던 것이다.

79년 1월의 몸무게는 53kg 정도 나가고 얼굴도 노래서 처가 집에서는 부모님의 반대가 심하였다. 그러나 불란서무역공사 과장 명함을 갖고 옥천에 내려가 인사를 드리고 따님을 달라고 말씀드리니 흔쾌히 승낙을 하셔서 지금까지도 서로 알콩달콩하면서 살고 있다. 어언 40년이란 세월이 흘러 두 아들 모두 결혼하여 손주 네 명을 둔 할아버지와 할머니가 되어 있으니 이 어찌 세월이 빠르다 하지 않을 수 있겠는가!

새로운 질서, 상처를 두려워 마라!

이 길 환 | 탑지티씨㈜ 대표이사

KOIMA 분과위원회 부연합장

"으아아 ~~ 앙"

차도와 경계를 구분하기 위해 만들어 놓은 인도 턱에 세발자전거를 타던 어린아이가 걸려 넘어졌다. 처음엔 몹시 당황한 듯이 보였다. 한참을 앞서가던 할머니가 뒤돌아볼 땐 울음소리가 커졌고 할머니가 아이 앞에 도착했을 때 울음소리는 정점에 달했다. 5cm도 채 안 되는 낮은 턱이었지만 아이 스스로 자전거로 넘기에는 힘들었을 것이다.

할머니는 아이의 이름을 부르며 자책을 하고, 넘어지면서 피가 흐르는 아이의 무릎을 살폈다. 다행히 아이는 후끈 달아오른 아스팔트로 넘어졌고, 피는 금방 멎었다. 그 자리는 상처로 벌겋게 물들었다. 아이는 작은 상처만 났을 뿐인데, 할머니의 다급한 말투와 행동으로 툴툴 털고

그들의 제안을 거절하자 중국 파트너가 떠났다. 시장의 큰 흐름을 혼자 막을 수 없었다면 내 이익을 추구했어야 하는 게 아니었나 하는 생각이 들 때도 있지만, 그때의 결정을 후회하지는 않는다.

일어설 수도 있었을 아이가 당황하여 좀처럼 울음을 그치지 못했다.

짧은 순간이지만 어릴 때 부모님께 떼를 쓰던 나의 모습, 매사가 서툴러 상처를 남겼던 일들이 떠올랐다. 두서없이 일했고 정리를 하지 않고 일을 해서 망치에 치이고, 펜치에 물리고, 삽에 까이고, 낫에 베이고, 정원을 손질하다 바위에도 손을 다쳐 어릴 때 별명이 사고뭉치였다.

빛바래 퇴색된 머리엔 맨 먼저 마음의 상처, 사회생활을 하며 겪은 멍이 가득 찼다. 실패담을 늘어놓으며 자랑스러워할 수 없고, 이루지 못한 미래를 노래하기엔 머리가 무겁다. 아직도 넘어지고 상처로 아파하지만 꿈을 꾸는, 철없는 마음을 들키기 싫은 자존심만 남은 것 같다.

우리는 무수히 넘어지며 성장한다. 보호 본능을 유발하는 어린아이는 대부분 부모나 주변의 도움으로 곧 일어난다. 그러나 곧 스스로 일어나야 할 때가 되고 주변의 손길로부터 멀어지는 성인이 된다. 이제 스스로의 의지로 꿈을 향해 자립하고 희망을 가지고 끝없는 도전을 반복적으로 할 때가 된 것이다.

1997년 외환위기 시절, 기업에 절명의 순간이 찾아오자 국제물류에 왜곡된 일들이 많이 발생했다. 거래처에서 급한 자금을 돌려막기 위한 선 B/L 요구가 횡행했다. 수출회사에서 자금 경색이 일어나자 수출부서에 지원을 요청하고, 회사에 충성심이 강한 담당자가 생산한 물품도 없이 포워딩 업체를 찾았다. 의사 결정이 빠르고 전투적인 포워딩과 실적에 목마른 영업사원은 수년간 업체에 구애한 끝에 찾아온 기회를 모른 척할 수 없었다.

회사 단기 자금 사정이 안 좋아서 오늘 은행에 B/L을 제시해 현금화하고 내일 컨테이너에 작업을 하면 문제 될 것이 없다는 이야기로 포워딩 영업사원을 설득했었다. 설립한 지 얼마 되지 않고 체계가 갖춰지지 못했던 신생 포워딩 업체에게는 성장의 발판으로 여겨졌고 영업사원의 어깨는 가벼웠다. 다음 날 컨테이너가 공장에 운송되고 남미로 원단이 선적되니 회사는 경사가 났고, 영업사원은 영웅이 되었다. 선임 외상은 문제도 아니었고 장기 운송 계약 약속으로 수출담당자와 만찬도 가졌다. 선 B/L 발급을 반대한 업무 직원의 우려가 가실 쯤, 한 달 후 수입업체에게 운송된 컨테이너에서 원단 대신 돌멩이가 나왔다. 결국 포워딩 업체는 그에 대한 책임을 지게 되고 간판이 내려졌다.

2000년대 초, 주방용품을 수출하는 기업과 거래를 하게 되었는데, 동료들과 잘 어울리고 인사성 밝고 깍듯한 사람을 알게 되었다. 차츰 마음이 끌릴 때 내게 10만 원을 잠시 융통해 달라는 제안을 받았고, 그 회사

와의 거래 관계가 지속되면서 적은 돈을 계속 빌려주게 되었다. 의욕이 넘치는 사람에 대한 끌림과 내가 부족한 부분을 채워줄 수 있을 것이란 믿음이 깊어갔다. 결국 그 친구의 사업 계획만 믿고, 내가 100% 투자해 중국에 김치 공장을 만들고 한국으로 수입하기에 이르렀다.

문제는 국내유통에 있었다. 김치시장에 대한 기본 분석도 없이 뛰어든 김치시장은 유통 프로들의 것이었다. 해외생산에서 운송기간과 국내유통을 감안할 때 상당 재고가 필요했고, 영업한 주문량을 감당하기 위해서 추가 컨테이너가 생산되고 도착되었다. 그런데 운송지연과 식품 수입검사 문제로 수입통관이 늦어져 납기가 하루만 늦어도 주문이 취소되고, 숙성 정도에 따라 주문을 미뤘다. 숙성 문제해결을 위해 중국 공장에서 냉장 컨테이너 온도를 낮추자 컨테이너 냉동기 환풍구 앞 김치는 얼어서 상품가치가 떨어져 납품할 수 없게 되었다. 조금이라도 판매해보려고 누님을 급히 불러 10Kg 박스 포장을 5Kg 비닐봉투에 나눠 담고, 어르신들을 기쁘게 해주고 제품을 판매하는 홍보관에 납품하던 일이 눈에 남는다. 박스에서 김치를 소분하며 누님의 감사함에 목이 메었다.

1998년 포워딩을 창업하고 얼마 되지 않아 중국 파트너로부터 LCL 화물을 받았다. 가격조건이 CFR 조건이었는데, 중국 수수료 명목으로 USD50을 수입업체에게 받으라는 Debit Note가 내려왔다. 업무에 탁월한 수입업무 담당자는 파트너의 요청에 따라 수입업체에 중국 수수료를 청구했는데, 수입업체 담당자로부터 강한 항의 전화가 걸려왔고, 그는 수입업체가 중국 수출업체와 체결한 Incoterms에 따른 CFR 조건에 대한 설명을 하며 중국 수수료를 낼 수 없다고 했다. 처음 사회생활을 무역회사에 취업하고, 무역협회 부산지사에서 무역교육을 수료했던 터라 중국 파트너의 요구사항이 가격조건에 어긋난다는 사실을 알았다. 파트너에게 이 사실을 통보하고 설득해 중국 수수료를 취소하게 되었다.

당시 중국은 갓 문호가 개방되어 중국 신생 포워딩 업체들이 운송 실무를 잘 몰라 한국 업체가 중국 업체에 서류작성과 Incoterms의 FOB, CFR 등 각 조건에 따른 물류비용 정산에 대해 알려주던 때였다. 그 이후에도 중국 파트너는 중국 비용을 한국 수입업체에 청구를 했는데, 우리는 그때마다 파트너에게 CFR 조건에서 중국 수수료를 한국에 청구하는 것의 부당함을 알려주며 이를 정정하도록 요구했었다. 중국 파트너가 성장을 해서 LCL CONSOL을 준비하며 당사에 그들의 수수료를 USD11/R.Ton 요청했는데, 당시 통상 LCL 수수료인 USD9~10/R.Ton보다 높았다. 만약 그들의 조건을 받아들인다면 수입업체에게 창고료를 올려 받거나 다른 수수료를 만들어 받아야 가능했다. 오랜 시장조사 끝에 그들의 제안을 거절하자 중국 파트너가 떠났다. 시장의 큰 흐름을 혼자 막을 수 없었다면 내 이익을 추구했어야 하는 게 아니었나 하는 생각이 들 때도 있지만, 그때의 결정을 후회하지는 않는다. 공급보다 수요가 많을 경우 가격조건을 따지기보다 공급자의 요구를 맞춰주고 물품을 확보해 판매하는 것이 생존할 수 있는 시장원리다. 그러나 관행이 되면 기업간, 국가간 상처는 깊어지고 치유하기 어렵다.

울타리 밖은 기회와 도전의 세상이다. 주변의 도움으로 이룬 성장은 나약한 온실 화초가 되어 보호막이 벗겨지면 쉽게 상처를 받지만, 이미 성체가 된 나는 스스로 이겨내고 해결 방안을 찾게 된다. 타인이 만들어 준 나에서 탈피해 스스로의 주체를 세우며 내일의 강한 나를 만들어야 한다. 새로운 질서를 강요하는 시대, 경제 성장기의 풍요 속에 부모의 바람대로 만들어진 몸을 바꿔야 한다. 그곳에서 너를 보고 나를 찾아야 한다.

2020년 이번 여름은 춥다. 새벽 길, 어제 이 길을 지나간 젊은이들이 꿈을, 애환을 녹여 발로 짓이겨 버린 담배꽁초들을 집는다. 많이 아팠으리라. 그래도 새날은 온다.

다름을 인정하면서

이 봉 우 | ㈜세통상사 대표이사

전 KOIMA 자문단부의장

어느 날 아내가 신문에 실린 '하와이 한 달 살아보기' 기사를 보고 "생각만 해도 마음이 설레요, 당신도 그럴 거예요."하고 상기된 얼굴로 내게 말했다. 나는 주저하지 않고 아내의 뜻을 받아들였다.

필요한 예약을 모두 마치고 설레는 마음으로 하와이행 비행기에 올랐다. 아내와 함께한 지 올해로 벌써 반세기가 된다. 호놀룰루 상공에서 시가지를 내려다보면서, "아! 와이키키다."라며 잠자는 아내를 깨웠다. 내 인생에서 한번뿐인 금혼 여행이라고 생각하니 마음이 느꺼웠다. 신혼에서 금혼까지 엄청난 세상의 변화를 겪으며 달려온 오십 년 세월이 눈앞에 어른거린다.

해외여행은 상상도 하지 못하던 60년대 말, 나는 선을 본 지 오십 일

만에 결혼식을 올리기 위해 부산행 기차를 탔다. 밤새도록 쏟아지던 비는 다행히 결혼식 날 새벽에 그쳤다. 내가 결혼식장에서 행한 혼인서약은 예나 지금이나 하객들 앞에서 부부가 일생을 함께하겠다는 약속이 아니던가. 해운대에서 하룻밤을 보낸 신혼여행을 시작으로 그 서약 이행을 위한 첫걸음을 내디뎠다. 다음 날 서울행 기차를 타면서부터 내 인생의 긴 여행을 위한 아내와의 동행이 시작되었다.

요즘 젊은 부부들이 성격차이를 이유로 갈라서는 등 갖가지 문제들을 안고 있음을 많이 본다. 성격이 아주 같은 사람이 얼마나 있을까. 나는 전기도 자동차도 없는 수복지구 산골 농촌에서 휴전협정이 조인되던 해에 중학교에 입학하면서부터 혼자 힘으로 중 · 고교와 대학을 졸업했다. 군 복무를 마치자 취직해서 결혼까지 한, 나야말로 그동안의 절제된 습성으로 몸에 밴 교과서 같은 성격 때문에 사오십대까지는 아내로부터 고지식한 사람이란 소리를 자주 들었다.

나와는 달리 도시에서 자란 아내는 고급 음식보다 물안개 피어오르는 강가에서 〈사랑을 위하여〉를 부르는 낭만과, 분위기 있는 카페에서 칵테일을 마시는 멋을 더 좋아했다.

타고난 유전인자가 다르니 부부의 성격차이는 당연하지 않겠는가. 그래서일까. '팔만 사천의 법문이 있는 것은 팔만 사천의 중생이 있어서'라는 말의 의미를 알 것 같다.

젊은 시절에는 아내의 그런 취향을 헤아려주지 못했다. 이렇듯 상반

서로 다름을 인정하면서 흔들릴 때면 잡아 주고, 작은 것에도 감사하고 배려하면서 서로 발을 맞추었기 때문에 여기까지 올 수 있었던 것이라는 생각이 든다.

된 성격 차이로 인해 아내의 마음이 상할 때도 있었겠지만 그보다 더욱 힘들게 하는 일이 있었다. 셋방살이로 신혼 생활을 하면서부터 나와 아내 쪽 조카들이 서울에서 대학을 다니기 위해 하나 둘 우리 집을 찾아오게 된 것이다. 기댈 곳이라고는 우리밖에 없을 때였으니 십여 년간 여섯 명의 조카들을 뒷바라지해야 하는 아내가 얼마나 힘이 들었을지 이제야 가늠이 된다.

게다가 융통성 없는 내 성격까지 겹쳐 새색시가 얼굴에 기미가 끼기 시작했다. 아내는 기미를 없애려고 화장품을 발라보았지만 본래의 피부색이 아닌 창백한 얼굴로 변해 버렸다. 알고 보니 화장품에 납 성분이 들어 있어 그렇게 된 것이란다. 얼굴이 그렇게 되기까지 나는 아내의 힘듦을 깨닫지 못했으니 지금도 그때를 생각하면 마음이 아프다.

참고 견디는 사이 조카들이 대학을 졸업하고 각자 제갈 길을 갔다. 또 내 경제적 사정도 조금씩 나아지자 아내의 얼굴에서 서서히 기미가 사라지기 시작했다. 그리고 힘들었던 일들도 점차 풀려나갔다.

하와이체류 2주쯤 되던 어느 날 우리 숙소 수영장에서 우연히 한국인

신혼부부를 만났다. 아내에게 그들의 이야기를 했더니 아내가 불쑥 "국수 삶아 줄 테니 오라고 해봐요."라고 한다. 순간 생각지 못한 제의에 놀랐지만 곧바로 수영장으로 가서 아내의 말을 전했다. 그러나 내 예상과는 다르게 선뜻 따라나섰다. 그동안 한국 음식이 먹고 싶었다면서 잔치국수와 밥그릇을 맛있게 비웠다. 신혼부부는 자기들도 이 다음에 금혼여행을 올 수 있으면 좋겠다고 하기에 내가 살아오면서 느낀 일들을 들려주었다.

대부분의 부부 갈등은 큰 문제보다 오히려 별것 아닌 사소한 일로 의견 충돌을 일으킨다. 이를 극복하는 길은 부부간의 생각이 다름을 인정하고 서로 존중하는 것밖에 없지 않았던가. 내가 금혼까지 해로(偕老) 할 수 있었던 것도 그런 마음가짐 덕분이라는 생각이 든다. 그들도 살면서 서로를 존중하고 다름을 인정한다면 우리 같이 금혼 여행을 올 수 있지 않겠는가.

지난 오십 년의 희로애락이 바람처럼 스치면서 '인생은 여행이다'라는 말을 되새겨 본다. 신혼에서 금혼까지 우리가 함께한 그 긴 여행에 어찌 즐거움만 있었겠는가. 서로 다름을 인정하면서 흔들릴 때면 잡아 주고, 작은 것에도 감사하고 배려하면서 서로 발을 맞추었기 때문에 여기까지 올 수 있었던 것이라는 생각이 든다.

가끔 아내의 잠자는 모습을 물끄러미 바라볼 때가 있다. 이제는 내가 늙어가는 것보다 아내의 늘어나는 흰 머리카락과 조금씩 야위어가는 것

같은 모습이 나를 마음 아프게 한다. 노년의 부부가 느끼는 사랑이란 바로 이런 것일까,

부부는 닮아간다고 한다. 오늘도 우리 부부는 서로 닮아가는 중이다.

지성이면 감천이라

이 윤 우 | ㈜씨에스씨 대표이사
전 KOIMA 고문단 의장

올림픽은 다가오는데, 사격대표팀의 총알이 없다. 비상 상황이 발생했다!

낮과 밤 가리지 않고 텔렉스와 전화로 미국 담당자와 씨름 아닌 씨름의 연속이었다. 피 말리는 하루하루가 지나고, 20여 일이 지나 거의 포기하려던 찰나 기적처럼 한 장의 텔렉스가 날아왔다. 숨 막히는 국제 비즈니스 현장에서만 느낄 수 있는 짜릿한 전율이 온몸에 전해 왔다.

군대 생활 14년을 마감하고 사회생활의 첫걸음을 시작할 즈음 평소에 영어 실력이 남보다 좀 뛰어나다는 것을 잘 아는 선배의 권유로 수입업을 하는 K라는 회사에 입사하게 되었다. 그때가 1970년대 초, 30대 중반으로 무역의 무자도 모른 채 입사하고 보니 무역용어 외우랴 실무 습득

공휴일을 제외하고 무려 20여 일을 하루도 빠짐없이 낮에는 Telex, 밤에는 전화를 했다. 20여 일이 지나 회사에 출근하니 회사 사장이 만면의 미소를 지으면서 ...

하랴 무역업무 초보자로서의 입장은 그야말로 초등학교 1학년의 신세나 다름없었다. 게다가 직책은 과거 경력을 참작하여 과장이었다.

이 회사의 취급 선문 수입제품은 당시 아파트 건설 붐으로 인해 수요 급증이 예상되고 국산이 없었던 전동공구를 위시하여 대리석, 타일, 욕조, 변기, 화장실 용구, 보일러 등으로 대부분 미국, 일본, 이탈리아 제품들이었다. 고객은 주로 서울 시내 을지로와 청계천에 있는 도매상들이었으며, 거래방법은 'Commission Base'와 'Stock Sales Base'이었다. 당시에는 이러한 제품들이 인기가 많았고 높은 소득을 올렸다.

가장 먼저 주어진 업무는 고객들의 수요파악, 재고파악, 지불독촉 등과 취급제품의 해외 거래선 발굴과 계약 관련 업무였다. 고객들과의 업무는 고객들의 협조로 용이한 해결이 가능했으나 해외 거래선 발굴과 계약 업무는 그야말로 수입의 실무를 담당하는 일이라 보다 철저한 준비와 연구가 필요했다. 시장상황의 파악, 수요예측, 마케팅전략 수립, 거래제의서에 포함시킬 Terms and Conditions의 확정, 서신작성 및 발송, 지속적인 Follow-up 조치, 필요시 샘플 요구, 대리점계약 체결 등 수입업무의 전반적인 필요조건과 절차 등을 몸소 수립하고 실행하는 기회가 주어졌다.

1972년도에 개최된 올림픽에 우리나라 사격팀이 참가하게 되었는데, 사격훈련용 실탄을 조달청에서 외자입찰을 통해 구매한다는 정보를 1970년도 초에 입수했다. 사격훈련용 실탄은 미국 코네티컷주에 있는 Remington사의 제품으로 이미 사양이 정해져 있었다.

부랴부랴 Remington사에 Telex(당시엔 Fax가 없었음)로 거래제의 서신을 발송하는 한편 국제전화로 거래 수락 여부를 확인했다. 본인의 제의가 한국에서는 첫 번째였는지 수락한다는 회신이 왔다. 다행히 조달청에 응찰하고, 결과는 단독입찰자로 2회에 걸친 입찰(단독응찰인 경우 2회 입찰을 함) 끝에 수의계약을 성사시킬 수 있었다.

2회에 걸친 입찰로 계약체결이 지연되고, 아울러 제작사에 주문 역시 지연되었다. 문제는 계약서와 신용장을 받은 제작사가 조달청이 요구하는 1970년대 말까지 배송이 불가하다는 연락이 왔다. 세계 각국에서 주문이 쇄도해 늦게 주문한 한국에는 요구하는 배송일을 지킬 수 없다는 것이었다. 이러한 사실을 조달청에 통보하자 실수요자인 태릉에 있는 육군사격단 담당 참모들이 급하게 나를 찾아왔다. 당시 올림픽 참가선수는 육군에서 차출된 최우수 사격군인들로 구성되어 있었고 육군사격단에서 관장했다. 배송이 늦어진다는 사실에 담당 참모들의 걱정과 분노는 이루

말할 수 없었다.

배송이 늦어질 경우 올림픽에 경험이 없는 선수들의 연습이 부족할 것이고, 그로 인해 선수들의 성적이 떨어지면 담당 훈련단장은 물론 관련 참모들까지 문책을 피할 수 없다는 것이었다. 정부, 군, 조달청 사업을 처음으로 경험하니 당황하지 않을 수 없었다. 사업의 담당자로서 피할 길도 없고, 계약과 주문을 늦게 한 조달청을 원망해야 소용없는 일이었고, 결론은 처음부터 본 사업을 맡은 담당자 본인이 어떠한 희생을 치르더라도 해결해야 했다.

해결방법이란 고객의 실상을 제작사에 자세히 알리고 고객이 요구하는 배송이 제대로 이루어지도록 제작사를 설득하는 길밖에 없다는 것이다. 낮에는 매일 사무실에서 제작사 담당자에게 Telex로 고객의 어려운 입장을 알리고, 퇴근 후에는 집에서 제작사의 근무시간에 맞춰 새벽 1시경에 담당자와 전화로 대화를 하였다. 공휴일을 제외하고 무려 20여 일을 하루도 빠짐없이 낮에는 Telex, 밤에는 전화를 했다. 낮에 제작사에 보낸 Telex 복사본은 매일 육군사격단에 보냈다. 그야말로 고전분투였다.

20여 일이 지나 회사에 출근하니 회사 사장이 만면의 미소를 지으면서 제작사에서 보내온 Telex 서신을 보여주며 수고 많이 했다고 칭찬을 아끼지 않았다. Telex에 실린 내용인즉, Mr. Y.W. Lee의 고객의 입장을 우선으로 생각하는 마음과 문제를 해결하려는 끊임없는 노력에

Remington사가 감명을 받았다는 글이었다. 결국 다른 나라의 배송을 연기하고 한국 육군사격단과의 계약물량을 요구하는 기한 내에 배송해주기로 약속했다. 이 사실을 듣고 가장 기뻐한 측은 바로 육군사격단이었다. 다음은 조달청, 회사, 그리고 내 자신이었다. 1972년 올림픽에 육군사격단 선수들이 소기의 성적을 달성하여 국익을 높이는 데 일익을 담당했다는 것도 뿌듯한 기억이다.

'지성이면 감천'이란 말은 문제를 미루는 것보다 해결하려는 사람에게 주어지는 선물이다.

청운(靑雲)의 꿈

이 종 완 | 세양물산 대표

전 KOIMA 자문단부의장

무역업계에 투신하여 평생을 업으로 지내오다 보니 좋은 일, 어려운 일, 힘든 일, 나쁜 일 다 겪어 보았다. 지나온 길을 돌아보면 그 험난한 길을 잘 견디고 지금까지 오게 된 것이 그저 감사하고, 소중한 인연들이 고마울 따름이다.

1983년 3월, 청운의 꿈을 안고 잘 다니던 무역회사를 퇴직하고 사업으로 방향을 돌렸다. 사업을 처음 시작하니 막연하고, 아무런 준비도 없는 상황이다 보니 걱정이 앞섰지만 어디 의논할 곳도 없어 막막하기 그지 없었다. 당시 결혼도 하고 자녀도 있는 40줄의 나이에 패기만 가지고 도전한다는 것이 무모해 보였을 것이다. 하지만 그 당시는 방법이 없었다. 일을 시작했으니 끝을 보아야 하는 상황이었다.

무역업을 시작하고 절실히 느낀 것은 품목이 대단히 중요하다는 것이었다. 사업 품목을 물색하고, 적합한 품목에 집중해 사업 영역을 넓혀 나간다는 계획을 세우고 열심히 최선을 다하는 수밖에 없었다.

하지만 사업 초기에는 어려움의 연속이었다. 어렵사리 입수한 영문편지 한 장에 언급된 내용만 가지고 그 제품이 어떤 품목인지 알지 못해 이곳저곳 수소문하고 다닐 수밖에 없었고, 겨우 화장품회사 개발부를 방문해 해결하곤 하였다. 그럴 즈음 잡지에 게재된 한 제품을 LG화장품에서 구해달라는 요청이 왔다. 하지만 구할 방법을 알 수가 없었다. 한참을 고생해 제품을 찾았지만, 일본회사 마산공장에서 생산하는 것으로 전량 일본으로 수출하는 제품으로 한국에서는 구할 수 없었다. 그러다가 독일 Peiffer사 제품과 일본 Mitani 제품을 주력 품목으로 삼아 마케팅을 진행하여 정신없이 상품 소개하고 담당자를 설득하여 첫 주문을 받았을 때의 기쁨은 하늘을 찌를 듯했다.

그즈음 정부에서는 외국기업에 문호를 개방하여 외국제품 개방을 통해 우리나라 제품의 개선과 개발에 혁신을 가져오도록 유도하는 분위기였다. 그동안은 기존 화장품회사 역량을 키우기 위해 정부에서 개방을 지연시키면서 시간을 벌어 자생능력을 키우던 시기였다. 태평양화장품 개발부 등 여러 화장품회사 개발팀들은 새로운 제품의 개발에 몰두하여

그 정도로 꼼꼼하니 그 어려운 일본 시장에 뿌리를 내리고 사업하는구나 하는 생각이 들었고, 나에게 부족한 것이 많다는 자성의 계기를 주었다.

신제품 개발로 새로운 시장을 개척하기 위해 노력했다.

그러나 관련 업계에서는 너도나도 유사한 제품 개발에 뛰어들어 개발 직원까지 서로 낚아채 가는 상황이 벌어지고, 사업윤리나 상도덕도 없는 판국이 되고 말았다. 거기다 공장마다 노사투쟁이 유행처럼 번져 사업하는 사람들은 사면초가의 어려운 상황에 빠지고 말았다.

우리 회사까지 그 여파가 밀려와서 회사는 어려운 지경이었지만, 그때 데리고 있던 15명의 직원은 별다른 어려움 없이 놀고먹다시피 지냈던 것을 한참 뒤에야 깨달았다. 그 당시에는 사업에 정신을 빼앗겨 주변은 어떻게 돌아가는지 제대로 신경 쓸 여유가 없었다. 기를 쓰고 물건을 수입하고 납품하고 겨우 월급 맞춰 주고 관리비 지불하느라 정신없었다. 왜 그렇게도 월급날이 빨리 돌아오는지, 어떻게 한 달 해결하고 뒤돌아서면 또 월급 챙겨야 하니 피가 마를 지경이었다. 내가 직장 다닐 때는 월급 인상만 학수고대하고 월급날인 25일이 멀기만 하였는데, 막상 사업을 시작해 사장이라는 직을 달고 보니 완전히 딴 판이었다.

회사 경영에 필요할까 해서 연세대 경영대학원에서 경영학과(MBA) Marketing(배급관리)을 공부하고 석사 논문까지 통과했으나 막상 사업에는 크게 도움이 되지 않았다. 결국 사업은 혼자 바쁘기만 했지 직원 관리도 잘 안 되고, 경영의 요령조차 미흡한 상황이다 보니 여간 어려운 것이 아니었다. 사업을 하려면 '첫째 품목, 둘째 판로, 셋째 자금'이라는 조건을 잘 갖추어도 어려운 것인데, 욕심만 가지고 시작한 것이었다. 사업을 개시할 때에는 철저히 경영학적으로 검토하고 준비가 필요한데, '원래 남의 간섭 싫어하고, 아부는 잘 못 하고, 자존심은 강한' 성격의 소유자다 보니 차라리 월급쟁이가 오히려 나을 뻔했다는 생각이 수없이 들었다.

그 와중에 협회와의 인연이 시작되었다. 당시 한국무역대리점협회는 정부의 위임을 받아 수입허가권을 가지고 있었다. 이로 인해 수입 지원 업체가 급속히 늘면서 동시에 회원이 날로 증가하던 시기였다. 수입업을 하던 나도 여의도에 있던 협회 사무실을 찾아가 협회 가입을 하였고, 수입 업무에 많은 도움을 받았다.

1983년 3월이니까 그 당시로는 수입 시장에 빨리 진출한 편이었다. 1988년에 회원수 폭증으로 회원번호를 갱신해야 할 정도로 회원이 많이 늘어났었다. 꾸준히 협회와 관계를 이어오다가 1991년 제10대 인중식 회장 시기에 처음으로 협회 이사(理事)가 되어 협회 이사회에 참석하던 때가 기억난다. 그리고 1991년 7월, 천년고도 경주에서 '한국무역대리점협회 연수원'에서 실시한 '91 최고경영자 부인세미나'가 4일간(7월 13~16) 열렸는데, 아직도 그 사진을 가지고 있다. 그리고 12월에 '세계시장을 뛰는 작은 거인들', '다품목 소량공급의 개가'(P183) 논픽션 성공담 책자가 출판되었다. 이 책자를 보고 운전 중에 나의 이야기를 하는 방송을 들었

협회 제28차 정기총회 공로패 수상

다는 사람, 서점에서 그 책자를 보고 우리 회사에 근무하고 싶다는 편지 등을 많이 받기도 했다. 이를 계기로 여러 월간지와 신문에서 인터뷰 요청이 들어왔다.

또 하나, 이탈리아 전시회에 참석하고 독일 사장의 권유로 이탈리아 밀라노의 두오모 대성당 광장을 거쳐 열차 편으로 알프스산맥을 관통해 스위스 취리히 도시 부근까지 이동하는 여정을 정리해 1991년 9월 티틀리스(Titlis) 산행(山行)을 한국수입업협회[벗, 그리고 산 - Titlis산행기(山行記)(P95, 2005-4-26 발행)]로 발표한 것이 좋은 추억으로 남아 있다.

세월은 빨라서 협회와 인연을 이어가는 중에 1998년 2월 27일 제28차 정기총회 '협회발전 기여부문' 공로패 수상한 것도 영예로 기억하고 있다. 특히 제13대 표상기 회장 시기에 부회장을 하려고 나섰으나 쉽지 않았다. 치열한 경쟁 가운데 순위에 들지 못하고 이사회 운영위원으로 봉사하게 되었다. 이를 협회발전에 열심히 노력하고 기여한 것으로 평가해 준 것으로 생각하였다. 얼마 뒤에 친한 기업 사장 중심으로 장춘근 사장이 모임을 만들어 나를 회장으로 추대해 주었고, 비용은 표상기 회장이 부담해 주었다. 그 사실을 알고 나니 너무 미안한 마음이 들어 아쉽지만 물러나고, 주변의 좋은 사람들의 인연과 깊은 정(情)만 추억으로 남겨 두었다. 1997년과 1998년에는 IMF 외환위기라는 나라에 큰 변란이 있었지만, 경제는 고도성장을 계속했다. 당시 사업도 많이 부흥해 역삼1동 뱅뱅사거리 부근에 사무실을 가지고 있었고 차도 제법 좋은 것을 타고 있었다. 그래서 그랬는지 신문과 월간지에서 성공사례 인터뷰 요청이 많았다. 그 이유 중 하나는 가까운 친척 덕분에 나의 석사 논문이 동아일보에 한 면 가득히 게재된 것이었다. 그 영향인지 많은 원고 요청을 받았다. 당시 시(詩)와 수필(隨筆)을 잡지에 게재한 것만 모아도 상당수에 이른다. 기회가 되면 이 원고들을 모아 수필집으로 발간하려고 준비 중이다.

1999년 월간 '무역대리점' 10월호에 '인터넷 무역으로 최고 50%까지 비용 절감'이라는 나의 글이 제14대 이성희 회장 시기에 특집기사로 게재되었는데, 이를 다시 디지털 경제문화전문지인 'en@ble' 9월호에 '이종완 사장의 인터뷰 내용 전문'으로 게재되어 많은 이들이 읽을 수 있었다. 그때 협회 신고번호는 8813066이었고, 그 당시 사무실 전화번호를 지금도 사용하고 있을 만큼 애착을 가지고 있다. 당시에는 컴퓨터 보급과 케이블 전보에서 fax 전신의 발달로 A4 용지 한 장 보내는 데 시간과 비용

절감이 된다는 것이 그렇게 고마울 수 없었다.

주력 사업을 수입에서 수출로 무역 패턴을 바꾼 동기는 김영삼 대통령 때 경제 몰락으로 IMF 구제금융을 받게 되면서 환율이 천정부지로 올라 수입 사업을 감당하기 어려웠고, 수입제품을 찾으려고 엉망이 된 보세창고를 헤매고, 찾은 제품의 판로도 막연하였다. 그때 추운 겨울 찬바람이 쌩쌩 부는 사무실에서 징말 진퇴양난에 몸서리치던 시절이 있었다.

그래서 과감히 사업을 국산제품 수출로 전환하기로 했다. 얼마 후 일본 바이어의 요청으로 샘플과 견적서를 주고받으며 진행하던 중 마산의 제작 공장을 일본 거래처가 알게 되었고, 그들이 직접 담당자와 통화하여 직거래하자고 요청하는 일이 발생했다. 당시 담당자였던 임동성 담당직원이 일본 바이어에게 "공장인 자기들에게 연락하는 것보다 그분과 무역 일을 진행하는 것이 더 편할 것"이라고 좋게 이야기하였다. 거래에 신용이 중요한 것을 되새겨 주는 일화이다.

그런데 일본의 그 SPR 화장품회사에서 새로운 제품을 출시하면서 자재수급이 긴박하게 되었던 모양이다. 그러자 일본 사장이 직접 전화하여 도와달라고 부탁하였다. 자기가 6.25 동란 때 미군으로 한국에 왔던 참전용사라고 이야기하며 도움을 요청하였다. 뒤에 알고 보니 그는 동경 미군사령부에 근무를 했었는데, 일본 여인과 결혼하게 되었고 화장품회사를 설립하였던 것이다. 기획 생산회사 형태로 일본, 한국, 대만의 자재회사를 네트워킹하여 제품을 생산하고 있었다. 특히 그의 아들이 주요 업무를 도맡아 하였는데, 업무를 훤히 다 알고, 컴퓨터와 엑셀 등으로 도표도 정확히 처리하고, 일하는 솜씨가 조금도 틀림없이 확실한 타입이었다. 그 정도로 꼼꼼하니 그 어려운 일본 시장에 뿌리를 내리고 사업하는구나 하는 생각이 들었고, 나에게 부족한 것이 많다는 자성의 계기를 주었다. 굳건한 신용(信用)은 거래상 가장 중요하다. 독일과 일본민족은 사업이든 인간관계든 굳건한 신임으로 뭉쳐진 나라로 보여진다. 특히 일본은 신속 정확의 신용에 문제가 있을 경우 직원들을 호되게 꾸중하고 나무라는 것을 볼 수 있다. 아마 한국 직원이면 스스로 퇴직하고 말 것이다. 이러한 점은 국가 간의 경쟁력을 키울 수 있다는 점에서 우리도 배워야 할 부분이다. 오늘날 우리는 독일과 일본을 철저히 배우는 것이 극일이요 선진국민이 되는 척도라고 생각한다.

지금으로부터 10년 전 삼성역 그랜드 인터콘티넨탈 호텔에서 가족 친척들이 모여 칠순 잔치(고희연)를 가진 것이 엊그제 같은데, 올해로 2020년, 어느덧 팔순에 결혼식 50주년(금혼식)에 다다랐다. 세월이 지나고 보니 나의 능력의 한계에 아쉬움이 많이 남는다. 그래도 한국수입협회 제20대 신명진 회장의 따뜻한 배려로 협회 자문단 부의장의 직을 맡았던 것은 나름 예우해 준 것으로 감사한 마음이다. 사업하는 동안 한평생 한국수입협회와 좋은 인연으로 남아주어 고마울 따름이다.

KOIMA, 33년의 인연

이 주 태 | 미도교역㈜ 대표이사

KOIMA 제18대 회장

무역업과의 낯선 만남은 어느덧 삼십여 년을 훌쩍 뛰어넘어 평생의 인연으로 이어져 오고 있다. 때로는 힘들어 주저앉고 싶었고, 때로는 성취감에 기쁨으로 전율을 느끼기도 했다. 또 협회 회원들과의 끈끈한 정으로 가슴 따뜻했던 기억들도 주마등처럼 스쳐간다.

33년 전 봄 여의도 동북빌딩에 소재한 한국무역대리점협회(당시)에 무역대리업 등록을 하면서 오퍼상이라는 이름을 얻었다. 삼성물산과 미국 오리건에서의 무역회사 경험을 바탕으로 서울로 돌아와 개인회사를 차리게 된 것이다. 초기엔 막상 아이템도 돈도 없이 막막한 상태가 나를 불안하게도 하였으나 자신감과 희망 하나로 도전을 멈추지 않았다.

6개월여 지나던 어느 날, 대구 섬유원단 수출업체의 서울사무소장이

동호회 활동은 동시대 동종업계를 살아가는 우리들과 협회를 연결하고 가까운 이웃사촌으로서 삶의 희로 애락을 함께하는 동반자들로서 어느 조직 못지않은 수십 년 지기들이다.

던 고향 선배가 면사 나일론 원사 오퍼를 요청하였고 바로 그날 한걸음에 달려가 타이완, 인도대사관 상무관실에 비치된 해당 품목 수출업체를 찾기 시작했고 얼마 후 샘플을 받아 거래가 시작되었다. 운 좋게도 그중 한 업체는 다국적 대기업으로 아직도 인연을 맺고 있다. 첫 거래 후 커미션 550불이 도착했다는 한일은행 서여의도 지점의 전화에 눈물이 왈칵 쏟아질 뻔할 정도로 감격에 겨운 일들이 생생하다.

이후 회사는 원단 수출업체가 필요로 하는 화섬 원사에 집중함으로써 오늘날 섬유 원자재의 주요 수입 및 공급처의 역할이 되어 섬유 패션업계의 경쟁력을 높이는 데 일조하게 된 것을 보람으로 생각한다. 이후 여러 어려움에도 불구하고 500만불 수출탑, KOIMA 외화획득 표창 2회, 은탑 및 석탑산업훈장 수훈에 이어 현재는 화섬원사 직수입 연 5천만 불에 삼각무역 포함한 오퍼취급고 3천만 불 규모로 성장할 수 있었고 이젠 자식도 경영에 참여하고 있다.

33년을 반추해보면, KOIMA는 나에게 업계의 훌륭한 선후배 동료와 귀중한 정보와 지식, 또 조직관리라는 큰 선물을 안겨주었고 내 인생의 가장 보람 있는 인연이었다. 연수위원으로 집행간부 활동을 처음 시작한 2001년, 제주도에서의 하계세미나 활동, 부회장으로 활동하던 2007년에는 1년간 미국 워싱턴대학교에서 방문연구원으로 체류 중이라 거의 매달 한 번씩 귀국하여 회장단 회의에 참석하였다.

때마침 3년 임기의 산업자원부 비상근 무역위원으로서 심결에 참석하는 등 정말 바쁜 한 해였던 것 같다. 귀국해서 중남미 구매사절단 참여와 한-페루 FTA 촉진 활동 등 협회 여러 활동을 거친 후 2010년 3월에는 18대 회장으로 취임하여 협회의 대외 위상 제고, 수익사업 창출 및 회원 간의 화합과 결속을 위해 3년 임기 내내 최선을 다해 헌신한 일은 평생 동안 잊을 수 없는 보람된 일로 남아있다.

예를 들면 방위사업청 취급 품목 참여를 통한 협회 수익사업의 기틀을 마련하고, 수입의 날을 제정하고 정부로부터 매년 훈·포장 확보(무역의 날)로 주요 경제단체로 인정받은 일, 국내외 외교 및 통상 기관에서 명실공히 인정하는 지식경제단체로서 FTA 확산 및 통상마찰 방지 활동은 물론이고 수입연구소 기능을 제고했다. 또 여러 이해그룹으로 인한 회원 간 대립관계와 반목을 해소하고 하나로 결속하는 조직으로 변모해 가는 것을 임기 동안 목도하면서 모든 구성원, 가족들에게 뿌듯한 자부심을 가지게 되었다.

재임 중 유럽, 아프리카, 중남미, 아시아 등 대통령을 수행하는 경제사절단으로 각료 및 대기업, 주요 경제단체장들과 전용기 내에서 통상마찰 시정방안을 논의하던 일, 청와대 장·차관 참여 정책워크숍에서 경제단체 대표로 대통령과 함께 토론한 일 등이 기억난다. 터키 국빈 수행 시에는 당시 이명박 대통령께서 양국의 무역역조 시정 문제가 대두될 때 "우리나라는 한국수입협회가 있어 수입촉진 노력을 하고 있다. 곧 구매사절단을 보내도록 하겠다."라는 말씀을 정상회담에서부터 여러 모임에서 언급할 정도로 우리 협회의 위상을 새삼 인식하게 되었다.

구매사절단 활동 중 발틱 3국(리투아니아, 에스토니아 포함) 중 라트비아를 방문하여 돔브로스키 총리와 면담 중 한국과의 통상 및 교류 확대를 위해 한국을 방문하겠다는 약속을 받았고, 얼마 후 서울을 방문하여 총리 만찬에 민간 호스트로 초청받았다. 그 후 발틱3국을 대표하여 라트비아 리가와 서울에 각각 상주대사가 부임하게 되었다. 몇 년 전 서울의 라트비아 대사를 행사에서 만나 이런 얘기를 해주었고 정말 반가웠다. 이렇듯 KOIMA의 활동이 외교 수립에까지 간접적인 영향을 주었음은 내게 커다란 자부심으로 남는다.

한편 협회의 만성적자는 지속 가능한 발전을 위해서는 반드시 해결해야 할 과제이며 18대에서도 가장 큰 고민 중 하나였다. 솔선하여 회장 판공비 카드를 반납한 것은 물론, 여러 아이디어 중 우리 협회의 성격과 정부와의 협력 측면에서 가장 적합한 사업이 방위사업청 수입품목 분야였다. 하지만 계약 체결 시 방위사업청에 담보하는 P-BOND 등 리스크 관리 문제가 있었고, 누구든 결단을 하지 않으면 나아갈 수 없기에 회장단 회의에서 결론을 내고 최선을 다해 리스크 관리에 주력하였다. 품목에 따라 납기일에 맞추지 못한 경우도 있어 부회장을 급히 캐나다로 보내 대표를 만나고 현장을 확인하고 해결하기도 했다. 이제 십여 년 내공과 신뢰가 쌓인 만큼 멀리 내다보고 사업을 확충했으면 하는 바람이다. 집행부를 믿고서 말이다.

우리 협회에는 공식 기구가 아닌 여러 친목 동호회들이 있고 대부분 수십 년 활동하며 돈독한 정을 유지하고 있다. 녹양회, 낙산회, 산우회, 문화탐방회, 기독무역인회, CEO합창단, 기우회, 일출회, 무역불자연합회 등 이들 동호회 활동은 동시대 동종업계를 살아가는 우리들과 협회를 연결하고 가까운 이웃사촌으로서 삶의 희로애락을 함께하는 동반자들로서 어느 조직 못지않은 수십 년 지기들이다. 이들과 수많은 추억들이 가슴속에 남아 있다. 이러한 협회의 위상에 걸맞게 임기 중 정부 산하 많은 경제단체 중 드물게 은탑 산업훈장을 수훈한 영광도 있었다. 이 모든 것은 협회 회원사의 봉사와 희생의 대가이며 은덕이다.

지나온 50년을 바탕으로 앞으로 100년을 향해 KOIMA는 7대 무역대국 리딩 단체로 계속 나아가야 한다. 그러기 위해 끝으로 몇 가지 제언하고자 한다. 첫째, 고부가가치 선진 제조업 강국으로서 수출입 격차가 심할수록 상대국의 통상마찰 압력이 커지고 우리 협회의 중요성은 더욱 커지게 될 것이다. 따라서 수입업계의 진정한 대표단체가 될 수 있도록 필요하다면 정부에도 협조를 구해서라도 회장단에 대기업 회원사를 과감히 유치해야 하며 대·중소무역업과 오퍼업이 균형을 이루도록 구성할 필요가 있다. 둘째, 어렵게 취득한 방배동 협회 건물과 용산 재건축물을 잘 보존하여 후대의 귀중한 자산으로 활용되어야 한다. 셋째, 젊은 무역 세대 중심의 회원 확충이 필요하다. 넷째, 방위사업청 사업의 효율적 운영으로 수익원을 확대하는 것이다.

지면을 빌어 KOIMA 창립 50주년을 다시 한번 축하하며 역대 회장님들을 비롯한 회원사 모두의 건승을 기원한다.

전시장 안을 돌고 또 돌고

임 대 성 | 대주코포레이숀 대표

KOIMA 자문위원

초창기 무역업에 발을 내디딜 무렵, 몸으로 부딪쳐 나아갈 수밖에 없었던 막막하기 그지없던 시간들, 고생이 당연했고 아픔조차 느끼는 것이 사치라 생각하던 시절이 있었다.

옛 사진들을 훑어보니 업계에 입문했던 때가 주마등처럼 머리를 스친다. 올해로 협회에 등록한 지 31년이 되었으니, 내가 협회의 일원이 된 것이 1990년 일이다. 협회 50년 역사 속에 그 절반의 역사를 동행한 셈이라 생각하니 만감이 교차하며 깊은 감회에 빠져들었다.

롯데제과㈜와 롯데칠성음료㈜ 기술부장을 끝으로 직장생활을 마감

하고 대주코포레이숀을 설립했으나 취급할 품목을 찾는 것이 매우 힘든 일이었다. 기계공학을 전공했고 직장에서 식·음료자동포장설비를 설치, 운영한 경험을 살려 식·음료자동포장설비를 수입해 판매하기 위해 해외업체를 찾아 동분서주했다. 하지만 지금처럼 편리한 인터넷이 존재하지 않았던 당시 사회구조에서 해외업체와 연락한다는 것은 힘든 일이었고, 전화 통화마저 지금처럼 할 수 없었던 시대적 상황은 나를 절망의 나락으로 밀어 넣기도 했었다.

사업의 활로를 개척하기 위해 경력사원인 부장 1명, 신입사원 1명과 함께 3명이 호기롭게 사무실을 오픈하고, 사업처를 물색하고자 식·음료자동포장설비를 전시하는 독일 포장전시회(Interpack)를 방문했다. 전 직원 3명이 총동원된 방문이었다. 하나라도 더 세심하게 보고 싶은 욕심에 7일간의 전시 일정 중 6일 동안 걷고 또 걸으며 전시장 안을 돌고 돌았다. 급기야 나를 따르던 신입사원은 참관 3일째부터 발바닥에 물집이 생겨 절룩거렸고, 부장마저 5일째부터는 더 이상 걷지 못하겠다며 두 손을 들었다.

정신이 육체를 지배한다는 말이 있다. 동행한 동료들보다 나이가 많은 나의 다리와 발바닥이 무쇠로 만들어졌을 리가 있겠는가. 사업의 성패를 책임져야 하는 사장이란 위치로 인해 발바닥의 고통, 종아리의 아픔을 돌볼 마음의 여유가 없었던 것이다. 어디가 아팠는지, 아프지 않았는지 그때는 생각나지도 않았고 귀국하여 며칠이 지난 후에야 서서히 증상이 나타나기 시작했다.

출품한 회사가 2,500여 개사였으니 하루에 평균 500여 개 이상의 부스

순간 유명한 이탈리아 소매치기들에게 돈지갑을
털렸던 것이다. 고함을 지르며 손으로 내리쳤지만
3인조로 구성된 소매치기 고수들을
감당하기에는 역부족이었다...

를 돌고, 마지막 6일째에는 눈여겨보아 둔 부스를 집중적으로 방문하였다. 자료 CD도 없었던 그 시절, 쌀자루 포대만한 무거운 카탈로그 뭉치를 질질 끌고 다녔던 그 날을 생각하면 쓴웃음이 절로 나온다.

이후 사업이 순조롭게 진행되면서 유럽을 자주 방문하게 되었다. 식·음료자동포장설비 무역은 생각처럼 순탄하지만은 않았다. 기계를 공부한 내가 영업을 알면 얼마나 알고 있었겠는가. 고객의 요구에 부응하기 위하여 부족한 부분을 말로 설명해 나가야 하는 현실 속에서 어려움이 겹겹이 다가왔다. 컴퓨터 3D 프로그램이 없었던 당시에는 사양이 적혀 있는 카탈로그만으로 고객을 이해시키기에는 턱없이 부족했다. 따라서 설비를 고객에게 보여주고 작동상태를 설명해 줌으로써 계약으로 연결할 수가 있었다.

어려움도 있었던 반면 여행 중 웃지 못 할 에피소드도 있었다.

한번은 고객 3명과 비스킷 생산라인 공장을 방문하면서 이탈리아 베니스를 관광했다. 몇 군데의 성당을 관광하고 점심식사를 하러 가던 도

중 광장에서 비둘기 모이를 주며 한가로이 즐기는 관광객의 모습이 우리 일행의 시선을 끌었다. 모두들 호기심이 발동하여 비둘기 모이 봉투를 뜯어 조금씩 뿌리면서 모여드는 비둘기에 싸여 있었다. 손바닥 위에 올라 모이를 쪼아 먹는 비둘기의 모습이 한 폭의 그림이랄까. 아니면 세상만사의 번뇌를 벗어나 비둘기와 지상의 천국을 거닐고 있었다고 할까. 말로 표현할 수 없는 무아지경(無我之境)에 빠져있는 동안 큰 실수를 하고 말았다.

그 순간 유명한 이탈리아 소매치기들에게 돈지갑을 털렸던 것이다. 고함을 지르며 손으로 내리쳤지만 3인조로 구성된 소매치기 고수들을 감당하기에는 역부족이었다. 세 명이 지갑을 빠르게 토스했고 어느새 돈이 쏘옥 빠져버린 빈 지갑이 허공을 몇 바퀴 돌다 땅바닥에 떨어지고 말았다. 순간 머릿속이 까물까물해져 버렸다. 네 사람의 일주일간 출장비와 신용카드가 들어있었는데... 지갑을 털린 아픔을 생각하면 지금도 아찔하기도 하지만 영원히 잊을 수 없는 추억이 되었다.

또 스위스 취리히에서의 일도 생각난다. 20여 년 전쯤 일로 고객과 함께 한국식당으로 저녁식사를 하러 갔다. 식사를 끝내고 막 나오려고 할 때 동행한 고객 한 분이 아는 분을 입구에서 만나 식당 안으로 다시 들어가 얘기를 나누고 있었다. 그동안 나는 바깥 골목에 시선을 던지고 그들의 대화가 끝나기를 기다렸다. 주행하는 차들의 모습이 시야에 들어오면서 우리나라에서는 구경하기 힘든 운행수칙을 볼 수 있는 기회가 되었다. 신호등도 없고 교통 표지판도 없는 아주 한적한 거리인데도 불구하고 오가는 차량들이 바닥에 그어놓은 일단정지선에 도착해서는 정확히 정지하고 좌우를 살펴보고 지나가는 것이 아닌가. 우리나라의 느슨한 교통체계에 감각이 무디어져 있는 나로서는 무척 인상적으로 느껴졌다. 지금도 이따금 골목길을 걸을 때 내 앞을 휙 지나가는 승용차를 보면 언제쯤 우리나라도 유럽과 같이 마음에서 우러나는 준법정신으로 선진화된 교통질서가 자리 잡을 수 있을까 하고 생각해 본다.

유럽 곳곳을 돌아다니며 그들의 생활을 엿보는 것 또한 나의 일을 하며 즐길 수 있는 재미있는 에피소드가 되어 준다. 일만큼이나 인생에 잊을 수 없는 추억거리로 남아 있기 때문이다.

"With together" 내일로 갑시다!

임 헌 식 | 그린켐 대표

KOIMA 이사

사람은 누구나 자기가 주체가 되어 자신이 하고 싶은 일을 자신의 의지와 구상대로 일하며 살아가는 것을 한 번쯤 꿈꾸고, 마음으로 동경해 보았을 것이다. 그것이 사업이든 학문 연구이든 아니면 더 나은 가치의 그 무엇이든 자신이 중심이 되어 자신의 능력으로 무언가를 실현해 보고 싶어 하는 것은 모두의 갈망이자 희망이며 화두라 할 수 있다.

지금의 사업체인 그린켐의 창업은 그런 거창하거나 의미 있는 창업기와는 거리가 멀었다. 한 집안의 가장으로 오히려 상황을 냉정히 파악하지 못하고, 아랫사람을 위한 주제넘은 작은 배려라고나 할까. 이유는 아주 간단했다. 뜻하지 않은 회사의 변화에 퇴사하고 독립한 것이 창업으로 이어진 것이었다.

어느 날 갑자기 근무하던 무역회사의 핵심 라인 중 하나인 미국 거래처에서 조만간 한국 지사를 설치해서 업무를 진행하니 적극 협조 바란다는 내용의 팩스가 들어왔다. 그러자 회사 분위기가 살벌하게(?) 변하더니 회사 이사부터 부장까지 케미컬 샘플을 들고 국내 거래처로 가고, 어수선한 분위기에 나와 아래 직원 2명은 그것이 가지는 의미를 몰라 어쩔 줄 모르고 있었다.

나의 윗선은 그렇다손 치고 나나 아래 직원에게 다른 아이템 개발에 대한 압박과 스트레스가 날로 더해지다 보니 언뜻 "내가 자리를 비워주면 회사 운영상 아래 직원이 조금은 압박을 덜 받을 수도 있겠구나!" 하는 생각이 들었다. 이왕 이리된 거 나를 스스로 테스트해 볼 요량으로 사직 의견을 말하니 회사에서는 더 묻지도 않고 알았다고 했다. 그 당시 무역회사를 나오게 되면 대개 해외 공급처, 국내 유저들, 몇 개의 아이템을 들고 나왔는데 회사의 분위기가 그러니 난 그런 거 없이 맨손으로 나오게 되었다. 그러다 보니 손에 쥔 자금도 별로 없이 작은 사무실 하나 얻어 사업을 시작했다. 처음부터 외국 공급처 찾고 아이템 조사하고 국내 유저를 발굴하고, 컨택해서 비즈니스를 진행하다 보니 그 어려움을 어찌 다 말로 표현할 수 있겠는가!

가장 미안했던 것은 가족에게 가장의 역할을 제대로 못 하니 얼굴 들기도 정말 뭐하고... 그렇게 10달을 고생한 끝에 아이템 하나 개발하고, 그다음 달에 아이템 하나 또 개발하여 이제 집사람에게 생활비는 못 주어도 그럭저럭 사무실 운영은 가능할 것 같았다. 그러나 그다음 해 들어본 적도 없는 사상 초유의 IMF 사태가 터지자 온 나라가 발칵 뒤집혔다. 기약 없는 대기업 구조 조정에 엄청난 실업률 그리고 어디선가 외채 갚는다고 금 모으기 운동도 벌어지고 구조조정 당한 은행원 가족의 안타까운 동영상이 TV에 방송되어 온 국민을 착잡한 안타까움에 잠기게 했던 바로 그 시련이 닥쳤다. 그러나 전화위복이라는 말이 있듯이 나는 다행히 환율의 급상승으로 집에 적지만 생활비도 갖다 줄 수 있게 되었고, 아이템도 추가로 계속 개발하게 되면서 사업의 기본 포맷을 잡아갈 수 있었다.

그때부터 생활용품 중간체로 사용되는 제습제 원부자재, 경유 첨가제 불스원의 원료, 화장실용 청크린, 각종 스프레이건과 우리나라 최초 개발에 성공한 자외선 흡수제 3종류 원료 공급 등 순탄한 사업을 이어갈 수 있었다. 당시에 수입협회 활동에도 관심을 가지면서 여러 모임에 참석하여 활발한 교류를 이어갈 수 있었다.

한창 사업에 속도를 내고 있을 때 생활용품 제습제 원료를 나의 사업체인 그린켐을 통해 원료를 소개받고, 중간 테스트와 최종 제품 개발에 성공한 옥시란 회사가 사업이란 냉정한 세계라는 아픔을 깨닫게 해주었다. 해당 제품의 완제품 라인테스트 생산까지 2번의 정규 주문이 진행된

그러나 전화위복이라는 말이 있듯이 나는 다행히 환율의 급상승으로 집에 적지만 생활비도 갖다 줄 수 있게 되었고, 아이템도 추가로 계속 개발하게 되면서 사업의 기본 포맷을 잡아갈 수 있었다.

후에 오사카 지사장이 직접 메이커 사장을 찾아가 이 아이템의 비즈니스 볼륨이 크니 그린켐을 배제하고 직접 거래하자고 요청한 것이다. 결국 힘없는 나에겐 슬리핑 커미션을 2년 동안 주는 것으로 하고 그 라인을 포기하게 했고, 불스원 원재료 공급건도 그런 방식으로 처리되었을 때 나의 무능과 무기력과 절망감에 한숨으로 눈물지으며 큰 좌절감을 느껴야만 했다. 물론 지금이라면 청와대 '국민청원'에 억울한 사연이라도 띄우고, 각종 SNS에 억울한 사연을 호소해서 불매운동이라도 시도해 보겠건만, 20년 전에는 어디에 하소연할 데도 없었다. 설령 한다 해도 나만 '바보 등신 쪼다' 되는 세상인지라 다 내가 세상 시운을 잘 만나지 못한 탓으로 돌릴 수밖에 없었다.

그래도 그런 서글픈 과정을 겪었지만, 그간 거래처에 성실한 모습을 인정받아 여러 번 일본 메이커나 상사로부터 감사장도 받고 소소하지만 상금과 상품도 받고 나름 그린켐의 위상을 지키며 갈 수 있었다. 일 년에 두세 번은 방문해서 공장 라인 견학도 하고 대접도 받았다. 그린켐 창립

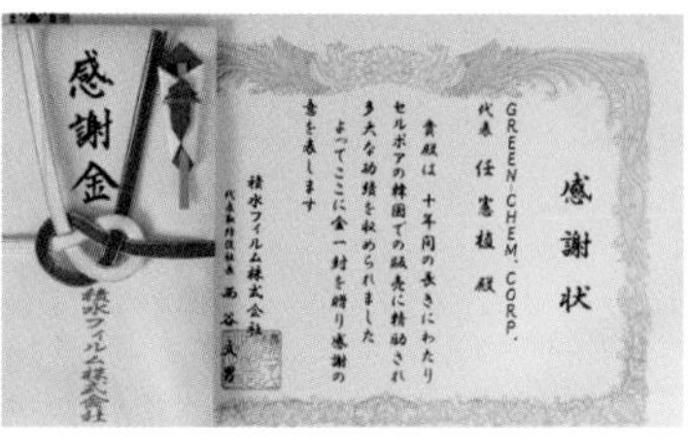

感謝状

GREEN-CHEM. CORP.
代表 任憲植 殿

貴殿は 十年間の長きにわたり
セルポアの韓国での販売に精励され
多大な功績を収められました
よってここに金一封を贈り感謝の
意を表します

積水フィルム株式会社
西谷

10주년일 때는 가족 모두 초청되어 일본 상사와 메이커로부터 융숭한 대접과 환영을 받기도 했다. 그나마 마음에 위안거리로 남은 일이라 하겠다.

한편, 중국으로부터 접착제 신규 아이템 원료를 수입하려 한 적이 있었다. 시험용 파일로트 테스트(Pilot Test) 물량으로 몇백 킬로를 수입하려고 송금을 했었다. 아뿔싸, 송금 다음 날부터 전화도 안 되고 메일은 대답도 없고… 다행히 총금액이 크지 않아 가슴을 쓸어내리는 수밖에 없었다. 속절없이 당한 것에 화가 났지만, 그 후부터 중국 비즈니스에 더 신중을 기하게 되는 계기가 되었다.

지금까지 지난 24년간 나의 일을 찾고 만들고 영위하면서 그래도 큰 탈 없이 큰 금액은 아니어도 부도 몇 번 맞기도 했지만 그린켐이 남에게 부도낸 적도 없고 원부자재 구매비용 떼먹은 적도 없고 그저 근면 성실(?)하게 사업을 진행해오고 있다. 그러다 보니 사업체를 크게 제대로 키우지도 못한 것 같은 아쉬움이 남는다.

3년 전 화평법(화학 물질 관리 평가법)이 발효된 이후 신제품을 개발하려 해도 제일 먼저 업체나 환경청에 '개발하려는 케미컬 제품이 인체에 무해하고 독성이 없다'는 인증 자료부터 제출하라는데, 그런 자료가 어디 있으며 설령 있다 해도 어느 메이커에서 많은 돈과 시간을 들여 만든 제품 자료를 선뜻 주겠는가?

그래서 화평법을 2, 3년 정도만이라도 유예시켜 달라고 전경련에 건의했지만 대답이 없고 지금은 그런 기대감을 내려놓은 지 오래되었다. 더구나 지난 연말 중국 우한에서 발생한 COVID19 사태로 세계 경제가 휘청이고 각국의 비상사태로 항공 길이 막히니 수출입으로 먹고사는 우리나라도 경제가 말이 아니게 되었다. 그나마 사업을 유지하던 제품 판매량도 줄고, 신제품 개발은 이제 엄두도 안 나고 이리저리 살아남으려니 새로운 길을 찾아 깊은 고민에 빠지게 된다. 그래도 '배운 게 도둑질'이라고 화평법에 해당 안 되는 제품들을 찾고 노력해서 지금까지 걸어온 길을 잘 유지해야겠다는 다짐을 한다.

세상이 험하고 엄중한 시기이지만, 좀 더 나은 내일을 위해 쉼 없이 도전하고, 힘내서 잘 버티고, 모두 함께 더불어 "With together" 내일로 갑시다!

백두산 천지가 여기 있었네

장 규 현 | ㈜이현에프앤씨 대표이사

전 KOIMA 자문위원

환갑을 맞는 세월 기다렸는데
白頭山 가는 길은 멀기도 하였어라.

지척의 내 땅 두고 남의 땅 밟고 가니
날틀(비행기) 타고 油車(자동차) 타고
돌고 돌고 또 돌아 하루하고 반나절

浮石으로 덮인 산, 안 그래도 白頭인
五月 중순에도 눈 덮여 白頭로다.

사시사철 쏟아지는 장백폭포 지척인데
오르는 길 도와주는 사람마다 속임수다.

쌍갈래로 쏟아지는 장백폭포 장관인데
나뉜 물줄기는 二道白河 松花江 되고
쉬엄쉬엄 흐르다가 豆滿江과 鴨綠江
豆滿江과 土門江은 뉘 봐도 다르거늘
어찌하여 대한의 기개 半島에 갇히었나.

오르는 산행 길은 수많은 계단되어
가쁜 숨 토해내도 面壁하고 돌아앉아
오는 이 가는 이 마음으로 바라본다.

헤아리다 지친 계단 오르고 또 오르니
어느듯 장백폭포 내 발 아래 있더이다.
눈부신 백설을 즈려밟고 오르려니
仙境이 이러련가 武陵桃源 따로 없다.

산할미꽃, 각시투구꽃은 그 언제 피려는가?
고산식물 꽃무리는 또 다른 秘境인걸
언제쯤 보여주려 상기 아니 일었는가?

가이없는 하얀 눈 차마 바로 보지 못해
실눈 뜨고 오르려니 어느듯 天池로다.
아, 여기가 天池로구나.
민족의 靈地, 白頭山 天池가 여기로구나.

山도 天池도 흰 눈 천지이고
白頭山 十六峰 구름에 가리었다.
웅장하고 고운 자태 흰 너울로 가렸으니
바라보는 내 마음은 初夜 맞은 신랑 마음

건너편 장군봉(병사봉)은
내가 오를 내 땅인데
어찌하여 仰望하며 애타게 그리는가?

살포시 얼굴 내민 장군봉 배경 삼아
사진 한 장 박고 보니 내 여기 왔더이다.

天池의 물 한 모금 시원하게 들이키고
아, 대한민국! 크게 한번 외쳐보면
가슴에 서린 恨 시원스레 가시련만
앉은뱅이 용쓰듯 남의 땅에 올랐으니
어찌할 도리 없어 흰 눈 위에 딩굴어본다.

뉘라서 혹여 다시 白頭山에 올라치면
나불러 同行하면 더 없이 좋을시고
아, 白頭山이
天池가 여기 있었네.

함께 멀리

장 인 수 | 웰캠프㈜ 대표이사

KOIMA CEO 합창단 부단장

십 년이면 강산이 변한다는 말이 있듯이 내 인생사에서도 10년 단위로 인생을 바꾸는 큰일들이 일어났다. 성인이 되면서 1984년에 군대에 입대했고, 1994년에 결혼을 했고, 2004년에 창업을 했다. 그리고 2014년도에 합창을 시작했다.

"혹시 장 대표님은 노래 좋아하세요?"

2013년 10월 어느 날, 기억이 생생하다. 그날은 처음으로 한국수입협회(KOIMA) 조찬 모임에 나간 날이었다. 같은 테이블에 앉았던 한 분이 모임이 끝나갈 무렵 툭 던진 그 말 한마디가 내 삶을 바꾸었다. 운명적인 만남이 이런 것일까? 그분이 바로 KOIMA CEO 합창단의 장규화 단장이었다. 때마침 내 마음 한구석에 노래를 발성법부터 제대로 배우고 싶다는 생각도 있어서 주저 없이 바로 합창단 가입을 결정했고, 2014년 1월부터 연습에 참석했다.

온실 속의 화초와 같은 대기업에서의 안정적인 삶을 포기한 후의 대가는 혹독했다. 등 떠밀리듯이 아무런 준비 없이 시작한 인터넷 교육사업. 냉혹한 세상을 만만하게 생각하고 덤빈 자에게 자비는 없었다. 2000년도에 벤처 붐을 타고 다국적기업 한국 계열사와 시작한 사업은 처음에는 순탄해 보였고, 많은 사람들의 부러움도 샀다. 그러나 콘텐츠 제작에 들어가는 비용이 생각했던 것보다 훨씬 많았으며 얼마 못 가서 여기저기서 끌어 모은 자금은 바닥이 났다. 급기야 급여를 못 주는 상황이 됐고 직원들은 하나 둘씩 회사를 떠났다. 어느 순간 나 혼자만 남게 되었다. 모두가 떠난 사무실의 공허함이란 지금도 잊을 수가 없다. 그때 사업 실패의 후유증은 20여 년이 지난 지금까지도 생생히 남아있다.

그 후 다시 시작한 현재의 사업도 고난의 연속이었다. 하루하루가 절벽과 절벽을 이은 외줄타기의 연속이었다. 보증기관과 금융기관을 연계한 B2B 전자상거래 플랫폼 사업은 초기에는 매출이 거의 없고 투자 비용만 계속 들어가는 사업 특징을 가지고 있었다. 대한민국에서 중소기업을 하는 사장님들은 전생에 큰 잘못을 저지른 업보 때문에 사장을 한다는 말이 매일 가슴 깊은 곳에서 메아리 쳤다. 그 당시에는 누가 술 한잔

합창은 혼자서는 할 수가 없다.
그리고 정해진 규칙을 한 사람이라도
어기면 하모니가 깨진다. 하모니가 깨지면
합창은 듣기 싫은 소음이 된다.

사준다고 하면 차라리 돈으로 주면 좋겠다는 생각을 하기도 했다. 물론 정신적인 스트레스로 건강도 안 좋아졌다.

그런 상황에서 만난 합창단은 나에게 너무나도 많은 즐거움과 행복을 주었다. 총무를 맡아서 합창단과 단원들을 위해 봉사하는 것도 나에게는 힐링이었다. 노래를 좋아한다는 공통점으로 만난 단원들의 순수한 마음은 지친 나에게 위로와 위안을 주는 선물이었다. 겉으로 보기에는 반복되는 삶의 연속이었지만 내면의 느낌은 항상 새로웠다.

처음 합창단에 입단했을 때는 고등학교 졸업 후에 악보를 볼 기회가 거의 없었기 때문에 악보를 보는 것도 힘들었다. 지휘자를 쳐다보는 것은 사치나 마찬가지였다. 다행히 악보는 선배 단원들의 도움으로 하나씩 하나씩 익혀 나갈 수가 있었지만, 명색이 테너인데 고음에서 이상한 삑소리가 날 때는 쥐구멍에라도 들어가고 싶었다. 다른 파트 소리를 듣고 하모니를 맞춘다는 것은 먼 나라 이야기처럼 들렸다. 그야말로 쉬운 일이 하나도 없었다.

하지만 매주 만나서 연습하고 MT 가고 가을에 정기연주회 하고, 그리고 해가 바뀌면 또 연습하고 MT 가고 정기연주회 하면서 노래 실력도 향상되고 지휘자를 볼 수 있는 여유도 생기고 다른 파트 소리도 점점 들리기 시작했다. 요즘에는 공연 중에 관객석을 훑어보면서 가족이나 지인을 찾는 노련함도 갖췄다.

합창단에서의 생활은 내 삶을 풍성하게 해주었을 뿐만 아니라 이제는 잊을 수 없는 많은 추억들을 만들어줬다. 몇 가지 추억들을 소환해 본다. 합창단에 들어가서 양수리 인근으로 처음 간 MT는 학창시절 MT 그대로였다. 단원들은 지치지도 않고 새벽까지 노래를 불렀고, 노래하면 빠지지 않던 나도 두 손 두 발을 다 들고 항복할 수밖에 없었다. 노래를 좋아해서 그런지 단원들은 흥도 많고 정도 많았다. 어느 해 MT 때는 팀 별로 장기 자랑을 했는데 팀 모두 목숨 걸고 준비를 하는 바람에 웬만한 쇼보다 훨씬 더 재미있었고 심지어 쇼킹하기까지 했다. 타고난 몸치들이 연주회에서 선보일 안무를 위해 무더운 여름날 비지땀을 흘리며 수없이 연습을 반복했지만 결국 고난도 안무를 포기하고 누구나 따라 할 수 있는 안무로 수정할 수밖에 없었던 우리만의 비밀 이야기도 있었다. 한번은 이런 일도 있었다. 연주회 곡 중 7080 가요 메들리가 있었는데 연습을 하던 장소에서 대중가요를 부르면 안 된다고 항의가 들어와서 그 곡만 다른 곳에 가서 연습을 해야 했다.

그 당시에는 당장 다른 연습장소를 구하지 못해 무척이나 당황스럽고 씁쓸했는데 시간이 지나니 가끔은 그때가 그리워지기까지 한다. '오페라의 유령' 메들리를 연주할 때는 가장 화려한 의상을 입고 오기로 하여 무대를 화려하게 장식했다. 그때 무대에서 사용할 파티용 소품을 사기 위해 인터넷을 검색하고 강남 여기저기를 찾아 헤맸던 기억도 새록새록 떠오른다. 하지만 최고의 순간은 누가 뭐라고 해도 연습 끝나고 시원한 맥주로 목을 축이며 합창 이야기로 웃음꽃을 피웠던 순간이 아닐까 싶다. 문득 지금은 떠나고 없지만 그때 그 시절 함께 했던 단원들이 그립고 또 보고 싶어진다.

말도 안 되는 일로 불안한 시간을 보낸 적도 있었다. 연주회 때 관객이 너무 많이 와서 연주회 구경을 못 하고 돌아가는 분이 있으면 어쩌나 하는 고민으로 단원들 초대 인원을 엄격하게 통제했던 때가 있었다. 자만이 하늘을 찌르던 때였다. 결국 200석 정도가 비었고 어처구니없는 해프닝으로 끝났다.

행사도 여기저기 열심히 다녔다. 단원 자제 결혼식과 외국 대사관 행사에서 축가를 부르던 모습을 떠올리면 지금도 행복감에 나도 몰래 입가에 웃음이 번진다.

KOIMA CEO 합창단은 민간 외교관으로서의 역할도 톡톡히 하고 있다. 통상 마찰을 완화시키는 중요한 역할을 하는 동시에 K-Import를 선도하는 KOIMA의 수입사절단 일원으로 해외를 방문하여 공연을 하고 있으며, 특히 태국을 방문했을 때는 태국 총리 공관에 초대돼서 열심히 준비해간 태국 민속곡과 아리랑을 멋지게 불러 대단한 환호를 받았다. 또한 예술의 전당에서 '한-체코 수교 20주년 기념 공연'을 하는 등 해외 및 국내에서 한국을 알리는 많은 공연을 해왔다.

새해에 첫 연습을 할 때는 과연 무대에 올릴 수 있을까 싶을 정도로 전혀 음도 안 맞고 화음도 안 맞지만, 시간이 흐를수록 점점 화음이 맞추어져 가는 모습을 보면 그 짜릿함이란 이루 말로 표현하기가 힘들다. 연주회 도중에 아름다운 하모니와 절정의 웅장함이 연주회장을 꽉 채울 때 내 몸을 감싸는 소름은 경험하지 않고서는 도저히 알 수 없을 듯하다.

정기연주회가 끝나고 가족들과 사진을 찍는 순간은 더욱 특별하다. 그 동안 합창 연습을 한다는 핑계로 많은 시간을 함께 보내지 못한 것에 대한 미안한 내 마음을 아는지 모르는지 그저 내 자식이, 내 남편이, 내

아빠가 지금 이 순간 무언가를 해내서 자랑스럽고 뿌듯하다는 마음을 표정으로 내게 전달해준다.

지난 2019년에 우리 KOIMA 합창단은 제10회 정기연주회를 성공적으로 치렀다. 고맙게도 외국 대사님과 대사 부인으로 구성된 '주한 외교관 합창단'이 특별 출연해서 10주년 연주회를 더욱 빛나게 해주셨다.

물론 합창을 하면서 즐겁고 행복한 기억만 있는 것은 아니다. 많은 사람이 모여 생활을 하다 보니 말도 많고 탈도 많았다. 매주 연습에 참여하는 것도 쉬운 일이 아니었다.

하지만 합창은 나에게 그런 어려움을 상쇄하고도 남을 기쁨을 줬다.

합창!

상식적인 말이지만 합창은 혼자서는 할 수가 없다. 많은 사람이 모여야 가능하다. 그리고 정해진 규칙을 한 사람이라도 어기면 하모니가 깨진다. 하모니가 깨지면 합창은 듣기 싫은 소음이 된다. 그러나 모든 사람이 하나가 돼서 하모니가 이루어지면 그 힘은 상상 이상이 된다.

힘들고 만만치 않은 삶이지만 내가 합창을 통해 얻은 지혜가 있다.

'혼자 빨리 가지 말고 함께 멀리 가자'

가끔은 2024년도에는 무슨 일이 생겨서 내 인생에 큰 변화를 주게 될까 궁금해진다.

우연히 맺어진 협회와의 인연

정 명 선 | 신한계기 대표

KOIMA 자문단부의장

전 국민이 "우리도 할 수 있다" "잘 살아 보세"란 기치를 높이 들고 구슬땀을 흘리며 매진하던 때가 있었다. 1970년 11월 14일 산업자원부 산하 사단법인 "한국수출입오퍼협회"의 이름으로 이 땅에 대표 경제단체로서 지금의 한국수입협회가 창립되었다. 5.16 군사혁명 이래 경제개발 1차 5개년 계획과 2차 5개년 계획을 통하여 기간산업을 육성하고 사회간접자본의 투자로 공업화의 기초를 다진 후 공업선진화, 국민소득증대를 목표로 전 국민과 업계가 총력을 기울이던 때이다. 귀한 사명을 안고 협회가 창립된 지 올해로 50주년이 되는 해이다.

달러 보유가 빈약하였던 당시의 여건으로서 해외여행은 거의 힘든 시점이었다. 이러한 때 한국수입협회의 창립은 모든 수입업자들이 정부의 배려로 해외 방문 기회를 쉽게 부여 받을 수 있었다. 부존자원이 빈약한 우리나라는 원자재를 수입하여 재가공으로 부가가치를 높여 수출로 부를 축적하는 산업 구조 하에 있었다. 이러한 상황에서 수입협회 회원사들의 적극적인 수입활동은 국가 산업발전에 크게 기여하는 계기가 되었다.

당시 직장생활에 전념하였던 나는 예기치 않은 소용돌이에 휘말려 본의 아니게 수입업을 시작하게 되면서 협회와 인연을 맺게 되었다. 당시에는 수입업 허가를 받기 위해서는 수입협회(을류)와 한국무역협회(갑류) 등록이 필수적이었으며 구비요건이 까다로워 일본 및 유럽 미주의 대리점계약서가 각각 필요하였었다. 일본과 독일 파트너의 도움으로 어렵사리 등록을 하였다. 그러나 직원이 대신 등록 업무를 진행하여 협회가 어디에 있는지, 사무국 직원은 누구인지 전혀 몰랐다. 더구나 협회의 기능을 자세히 알 수 있는 방법도 없었고, 단지 통관할 때마다 세금만 꼬박꼬박 떼어가는 곳으로 인식하고 있었다. 그러던 어느 날, 날짜는 정확하게 기억할 수 없으나 협회로부터 한통의 팩스를 받았다.

협회 통지문은 회원사들이 모여 관악산에서 산행을 한다는 내용이었다. 회원사들과 인사도 나누고 협회의 조직을 파악하는 데 도움이 될 것이라 생각되어 직원 한명을 데리고 참석하였다. 모이는 장소는 관악산 입구였다. 하지만 불행스럽게도 집결시간에 약간 늦게 도착하여 협회의 현수막을 발견할 수가 없었다. 사무국 직원이나 회원사의 얼굴을 전혀 몰랐기 때문에 협회 산행을 포기할 수밖에 없었다. 이왕 온 김에 우리끼리 정상까지 올라나 가보자 하고 연주암까지 올라갔다. 그런데 웬 일인가? 그곳에 "한국무역대리점협회" 현수막이 걸려 있는 것이 아닌가! 극적으로 산행 모임에 합류하여 회원사들과 인사를 나누고 사무국 직원들과의 첫 만남이 이루어졌다.

그 이래 15대 진철평 회장단이 출범하면서 공식적인 "코이마 산우회"가 출범하게 되었다. 회원들의 깊은 관심 속에 많은 회원사들이 참여하여 친분을 쌓아가며 오늘에 이르고 있다. 초창기 산우회의 활동은 대단하였다. 매월 60-70-80여명의 회원들이 참석하였고 시산제 때에는 최고 300여명이 참석하기도 하였다. 회원사들과 함께 하는 산행은 더할 나위 없는 즐거움을 제공하였고, 대화를 통하여 협회의 조직과 기능을 조금씩 이해하고 비즈니스와 연결하는 계기가 되었다.

지금은 협회에 대하여 전혀 모르는 사람들도 코이마 웹사이트를 통하여 협회의 조직과 기능 그리고 참여할 수 있는 활동분야 등을 파악할 수 있다. 그러나 1992년경에는 인터넷이 보급되지 않았기 때문에 협회의 공식적인 행사, 구매사절단 파견 등 협회의 동향은 팩스와 우편물을 통하여 접수해야 하는 전 근대적인 까막눈 통신체계가 전부였다. 인터넷 시스템으로 변모된 오늘의 사회상을 당시와 비교해 보면 짧은 기간에 눈부신 발전을 해왔음을 새삼스럽게 느낀다.

설령 무역업 등록제가 폐지되었다 하여도 협회에
회원사로 등록함으로써 같은 무역업 회원사들과
긴밀한 유대관계를 유지하며 새로운 정보를
신속하게 공유하고 여가시간도 함께 할 수 있다...

회원사들의 만남은 서로 멀리 떨어진 제한된 공간과 서로의 다른 스케줄로 인하여 다수의 회원사가 자리를 함께 할 수 있는 기회가 어려웠다. 이 시기에 진철평 회장의 동아리 모임 조직은 회원사들이 모임을 통하여 협회에 대한 소속감과 깊은 관심을 가지도록 한 계기가 되었고 이러한 기회 부여는 협회 발전에 지대한 영향을 미친 것으로 높이 평가할 만하다. 산우회에 가입하면서 협회의 소식을 빠르게 접할 수 있었고 많은 회원사들과 유익한 정보를 공유하는 계기가 되었을 뿐만 아니라 한 달에 한 번씩 만나는 산행은 비즈니스 활동의 청량제가 되었다. 산우회가 창립된 지 1년 남짓 지난 2002년 8월 진철평 회장과의 북경 통상사절단 참석은 잊을 수 없는 추억으로 기억된다.

무려 50여명이 참석한 협회의 북경 동상사설단은 그 규모도 대단하였지만 엄청난 중국 업체들의 상담 신청은 덩샤오핑의 개혁개방 캐치프레이즈인 흑묘백묘론(黑猫白猫論)의 절박한 중국 현대화 흐름을 느낄 수 있었다. 백묘란 의미는 이해할 수 있다. 그러나 흑묘란 "불법"이란 의미를 포함하고 있는데 얼마나 다급하였을까하는 생각이 들기도 하였다. 수년이 흘렀지만 당시 나와 상담하였던 30여명의 중국 업체들의 얼굴을 생생히 기억하고 있다.

그로부터 18년이 흐른 지금 중국은 스텔스기를 만들고 달에 인공위성을 발사하며 중국몽과 대국굴기를 외치고 있다. 우리는 왜 아직도 위성 발사 1단계 로켓도 만들지 못하고 있는지 되새겨 봐야 할 것이다. 일본이 메이지유신을 한지 짧은 기간에 세계강국으로 발돋움한 저력은 바로 미래지향적인 사고를 가졌다는 것이다. 우리는 너무 과거지향적인 사고에 발목이 묶여 허우적대고 있는 것은 아닌지 안타까운 일이다.

북경에서 공식행사를 마치고 백두산 정상에 올라 장엄한 천지를 바라보았을 때의 심경을 생각하면 지금도 가슴이 울렁거린다. 월드컵 열기가 전국을 강타하였던 2002년 8월 15일 칠월칠석날 백두산에 도착하였었다. 처음으로 천지를 바라보며 감격스러웠던 심경을 담았던 시를 여기에 소개한다.

우리의 만남

우리의 만남은 소중하였소!
우리의 만남은 즐거웠답니다.

우리의 만남은 추억 속에서
영겁을 뛰어 넘어 기억되리오!

장엄한 그 속, 천지의 물속에
우리의 만남을 새겨 두고서

날아가는 저 새는 국경이 없건만
우리의 발목 묶은 이 족쇄 언젠가 풀리리오!

천지물 건너편 우리 땅을 바라보며
적셔오는 손수건에 눈물만 담고
총총 우리는 내려 왔답니다.

그 뉘가 평양 지나 백두산에 오를 땐
천지 속에 잠겨있는 "우리만남" 꺼내어
북녘 땅 물밑으로 옮겨만 주오.

이후 코이마 산우회 회원의 일원으로 수년간 협회 이사직을 역임하였고 회원증강위원장, 20대 부회장을 거치면서 협회의 운영과 조직에 깊이 관여하는 계기가 되었다. 현재는 자문단부의장을 맡으면서 협회가 회원사들을 위하여 무엇을 해야 하고 회원사는 협회를 통하여 자신의 비즈니스를 어떻게 발전시켜 나가야 하는가 하는 점을 깊이 생각할 수 있는 기회가 되었다. 무릇 우리가 직장생활을 할 때도 동료들과의 협조와 융화는 사회생활의 필수적인 요건이다. 비즈니스 또한 이러한 사회적인 구성요건의 범주를 벗어날 수가 없다.

설령 무역업 등록제가 폐지되었다 하여도 협회에 회원사로 등록함으로써 같은 무역업 회원사들과 긴밀한 유대관계를 유지하며 새로운 정보를 신속하게 공유하고 여가시간도 함께 할 수 있다는 것은 각박하게 돌아가는 이 시대를 살아가는 우리에게 더 할 수 없는 삶의 청량제가 될 것이다. 또한 큰 무역 분쟁이 발생하였을 때 개인의 힘보다 정부와 연관되어 있는 코이마 조직의 힘은 쉽게 해결의 실마리를 제공해 준다.

반세기에 이르는 한국수입협회의 역사는 언젠가 이루어질 통일의 길목에서 세계 속의 한국으로 우뚝 솟는 밑거름이 되리라 의심치 않는다. 아직도 협회에 가입하지 않은 분들이 이 글을 읽는다면 주저 없이 협회에 가입할 것을 강력하게 권유하며 거듭 태어나는 수입협회, 세계 속의 한국수입협회로 발돋움하길 간절히 바라는 바이다.

삶(生)의 보람이란

정 찬 우 | 현우트레이딩㈜ 대표이사

KOIMA 자문위원

인생의 가장 바람직한 길이 있다면 어떤 것일까?

사업가는 장사를 잘하여 부자가 되는 것이고, 선생은 훌륭한 제자를 길러내는 것이며, 학생은 부모와 선생의 뜻에 따라 열심히 공부하고 인성을 길러 훌륭한 사람이 되는 것이리라. 이처럼 우리 인생은 누구나 자기가 가야 할 길이 있고, 하지 않으면 안 되는 길도 있다.

그러나 우리는 흔히 자신의 길을 잊고 살아가는 경우가 많다. 어쩜 자신에 대하여 너무 잘 안다고 생각한 나머지 소홀히 여기거나 또는 간과하여 바쁘다는 이유로 그저 그렇게 살아가고 있는 것이 아닌가 싶다. 인간이란 누구나 나름대로 열심히 살고 있다. 그러나 정녕 자신이 걸어온 길 그리고 가야 할 길에 대하여 가슴 깊이 성찰하고 있는지는 의문이다.

지혜를 후배들에게 나누어 주고, 남기고 싶은 좌우명 등을 담아 자신만의 역사를 만들어 보는 것도 삶의 진정한 의미를 되새김하는 기회가 될 것이다.

그중에서도 자신의 역사를 남기려 하는 자는 그리 많지 않은 것 같다. 인간은 누구나 자신이 세상을 살아가면서 외롭고 쓸쓸하며, 괴로움으로 방황하는 일도 있을 수도 있고, 별 어려움 없이 순탄한 과정으로 성공과 부(富)를 누리는 일도 있을 것이다.

그러나 정녕 자신을 드러낼 때는 고생과 외로움보다는 성공적인 삶에 대하여 더 부각하고자 한다. 가난과 외로움과 실패의 길은 부끄럽고 창피하다는 생각이 먼저 들기 때문일 것이다. 허나, 고귀한 사람일수록 자신의 힘들고 어려웠던 일에 대하여 그리고 그 어려움을 극복했던 사례를 나누어줌으로써 모든 사람들에게 귀감이 될 수 있도록 한다.

10년 전, 우리 수입협회 40년사를 발행하는 준비과정에서 회원사 사장님들의 산문집을 만들고자 원고를 모집했던 일이 있었다. 수필을 비롯한 삶의 역경과 극복했던 사례며 오늘의 성공을 거두기까지의 각종 애로사항과 에피소드를 공모했다. 20여 편 가까운 원고들이 접수되었으나 한결같이 자신들의 성공사례만을 나열하여 결국 자신의 자랑만 드러내는 내용이었다.

삶의 역경과 실패를 극복했던 사례들을 책으로 엮어 많은 젊은이들과 우리 회원들에게 실패의 길을 피해갈 수 있는 삶의 지혜를 주고 싶었던 것이 본래 취지였다.

결국, 산문집 제작은 무산되고 말았다.

그다음 해에 나에게 문학 수업을 받던 85세 노인의 자서전을 대필해 주는 기회가 있었다. 그가 일생을 통하여 겪어 왔던 각종 이야깃거리며, 살아온 흔적들 그리고 평소에 느끼고 깨달았던 일들을 정리했다. 자녀나 후세들에게 알리고 싶은 이야기들을 일기처럼 편안하게 작성하도록 하였다. 그리고 그것들을 모아 정리하여 자서전으로 승화시켜 주었다.

주된 내용 중 하나는 6.25 전쟁사와 전쟁터에서 인연을 맺은 유엔군 장교와의 70여 년 가까운 세월 동안 이어온 우정에 관한 이야기였다. 이 우정은 후세들에게까지 이어져 내려오며 짜릿한 인간 승리의 이야기를 들려주었다. 또한 월남전의 참상과 한국전력과 관광공사, 교통안전공사에 대한 통폐합 및 창립 과정, 젊은 시절의 연애와 결혼 등 다양한 장르로 엮어 구성하였다.

이렇게 엮은 책의 내용을 영어로 번역하여 출간하였고, 미군 장교 후손들에게 보내주었다. 이를 계기로 매년 6.25 참전 용사 및 그 가족들 약 900여 명을 우리 정부에서 초청하여 전방 시찰과 우리나라의 발전상을 보여주고 돌려보내는 정부 행사에 국방부와 보훈처에서 이 책을 구입하여 선물로 나누어 주게 되었다.

그뿐만 아니라 이명박·박근혜 대통령으로부터 초청을 받아 청와대에서 식사 대접과 금일봉을 받기도 하였다. 또한, 유엔사무처로부터 이 책 100권의 주문이 들어와(본인이 100권을 기증하여) 총 200권을 유엔사무처 직원들에게 선물하였다. 또 여기저기 강연도 다니며 바쁜 날들을 보내고 있다. 그 후 미국의 오바마 대통령으로부터 격려와 축하 전화를 받았고, 4년 전에는 유엔의 날에 미국 정부 초청으로 미국을 다녀오기도 하였다. 지극히 평범한 한 사람의 일대기가 소설처럼, 또 회고록의 형태를 빌어 자신의 역사에 남긴 것이 뜻하지 않게 영광을 누리는 동기가 되었던 것이다.

이러한 시기에 우리 협회에서도 몇몇 회원들이 문학 동호회를 만들어 책도 읽고 글도 쓰며 문학의 깊이를 느끼고 싶다며 도와달라는 요청이 들어왔다. 참으로 다행스러운 일이었다. 사업이라는 각박한 현실 속에서 인문학에 관심을 갖고 글을 쓰고 싶다니 얼마나 갸륵한 일인가. 우리 협회 최초의 문화예술위원장을 맡아 활동할 당시 문학 공모며 사진 공모, 그리고 각종 문화예술(음악, 연극, 미술) 관람 프로그램을 만들어 추진하였다. 그러나 참여자가 적어 매회 그 실효를 거두지 못했다.

그러다 11년 전 KOIMA CEO 합창단을 만들어 활동하는 동안 회원들의 적극적인 참여로 대성공을 거두게 되었고, 그 과정에 또다시 문학을 비롯한 미술, 사진, 음악 등의 문화예술에 관심을 갖는 회원들이 늘고 있다는 사실에 새삼 감동과 고마움을 느끼고 있다.

우리 회원사 분들도 삶에 대한 성찰을 문화예술의 각종 장르로 표현하여 자신의 역사를 새롭게 창조해내는 귀염도 부려보았으면 한다. 그 길에 내 도움이 필요하다면 어떤 장르를 불문하고 기꺼이 작은 힘이나마 보태도록 하겠다. 특히 문학 공부를 통하여 수필과 소설, 시를 써보고 낭송도 하며 자신의 삶의 질을 높여 보는 것도 의미가 있을 것이다.

그간 사업의 성공을 이루었던 수많은 이야기 그리고 실패와 좌절의 늪을 헤쳐 나온 지혜를 자식과 후배들에게 나누어 주고, 남기고 싶은 좌우명 등을 담아 자신만의 역사를 만들어 보는 것도 삶의 진정한 의미를 되새김하는 기회가 될 것이다.

이 세상에 태어나 한 생을 살고 먼 훗날 이승을 떠날 때 자신의 흔적을 남겨 후세들에게 귀감이 될 수 있다면 그보다 더한 기쁨이 어디 있겠는가.

잠들어 있는 본인만의 끼를 깨워 보라.
그리고 그 끼를 개발하여 세상에 드러내 보라.
세상의 빛이 달리 보이리라.

KOIMA의 등불이여

대륙의 중심에 선 반도의 땅 KOREA
세기를 향한 KOIMA의 발걸음 이어진 지
어언 50여 성상

헐벗고 굶주린 지난날의 아픈 상흔 가슴에 안고
우리도 할 수 있다는 굳은 신념 하나 내세워
지구촌 구석구석 누비며
밤을 낮 삼아 피땀으로 일궈온 자유 대한민국
그대들의 영광
그대들의 자랑이 아니던가요

세계는 넓고
우리 가야 할 길 아직도 멀어
천하를 호령할 그 날의 영광 바라보며
또 다른 우리들의 열정 새롭게 불 지펴
세계를 주름잡는 KOREAN DREAM 꽃 피우소서

자랑스런 KOIMA의 형제들이여!
그대들의 뜨거운 가슴
뜨거운 열정 하나가 되어
새로운 반백 년의 역사 창조하소서

우리들의 꿈
우리들이 가야 할 길
오직 하나

지구촌이 하나이고
세계가 하나 되어
KOREA의 뜰에서 평화 일구며
KOIMA의 가슴에서 마음껏 뛰어노는
인류가 되게 하소서

자랑스런 KOIMA의 형제들이여!
영광의 KOIMA여!

역지사지

조 규 목 | ㈜대경인터내셔날 대표이사

KOIMA 자문위원

"그래 결심했어!"

불혹의 나이 40대 중반을 넘어 샐러리맨 생활을 끝내고, 내 사업을 하기로 결심했다. 하지만 행동으로 실행하는 데는 어려움이 있었다. 딸린 식구가 4명인 데다 모아놓은 돈도 그리 없었다. 그리고 직장 근무도 나름 잘했고, 더욱이 좋은 보직을 그만두는 것은 결코 쉬운 일이 아니었다. 사람들이 흔히 하는 말로 무엇이든 시기를 잘 타야 한다고 하는데, 떠날 때도 마찬가지로 타이밍이 중요했다.

회사의 근로자와 경영자의 입장 차이는 항상 있는 것일까? 각각의 입장에서 사고와 행동이 서로 일치하기 어려운 것이 사실일 것이다. 같은 사물을 보고도 각각 생각과 행동이 다르니 말이다. 회사에 있으면서 경영자와 좀 더 오래 안정적으로 일을 했으면 하는 바람이 있었지만, 한편으로 직장생활을 돌이켜 보면 근로자의 말로가 해고 아니면 의원면직 되는 것이 지극히 일상적인 결과였다. 때문에 더 이상 직장생활을 한다는 것이 큰 의미가 없다고 생각했다. 더 이상 진급도 문제였지만 오너 2세가 일취월장하며 성장하는 데 비오너가 있어 봐야 지팡이 신세로 전락될 것이 뻔했기 때문이다.

마음을 정하고, 일부 퇴직금과 모은 돈을 종잣돈 삼아 직장생활 동안 배운 무역 업무를 기초로 오퍼업에 등록했다. 당시의 모습을 보면 사업이라 하기에는 너무 초라한 작은 구멍가게 정도의 수준으로 차려놓고 몸만 바쁘게 동분서주했다. '우공이산(愚公移山): 어리석은 영감이 산을 옮긴다'는 말처럼 꾸준히 끈기 있게 노력하면 큰 성과가 있겠지 하고 열심히 일했다.

사업에서 제일 중요한 것이 사업 품목 선정인데, 직장생활에서 터득한 제약·화장품 원료와 보건복지 분야의 의료기기를 취급하기로 결정했다. 평소 보건복지 의료기기 분야의 완제품에 관심을 갖고 있었던 것이 큰 도움이 되었다. 소자본으로 생산과 판매를 동시에 하기란 쉬운 일이 아니었기에 생산과정을 배제하고 어느 정도 기반이 잡힐 때까지 판매에만 집중하기로 했다. 판매를 위한 적정량의 수입과 재고관리, 판매, 수금, 세무회계 등 그 일련의 과정이 꽤 복잡했지만 그래도 생산과정을 배제한 터라 적은 인력으로도 가능했다. 그리고 전문기술이 필요한 것은 외주로 커버하며 진행하니 업무수행에 큰 어려움은 없었다.

창업 후 2, 3년간 꼬박꼬박 비싼 수업료를 내는 창업 공부의 연속이었다. 일정한 수입은 없었고, 괴로운 날들이 속절없이 무수히 지나갔다. 과거 직장 생활과는 완전히 정반대의 생활이 된 것이다. 이를 두고 역지사지(易地思之)란 말이 딱 맞는 생활이라고 말할 수 있겠다. 왜냐하면, 직장 생활할 때에 국·내외 원료, 부자재 등 제품생산에 필요한 자재를 구매하는 총책임자로서 여러 해 일을 해오다가 하루아침에 거꾸로 원부자재, 완제품을 판매해야 하는 입장이 되었으니 그 막막한 상황은 가히 알만하지 않은가.

어디 한 곳 찾아가도 반겨주는 사람이 없었고 회사 상호, 제품 등 모든 것들이 생소한 상황에서 오로지 나의 힘으로 영업을 해서 회사의 손익분기점을 달성한다는 것은 정말 어려운 일이었다.

타고나면서부터 고생을 많이 하고 자랐다면 상당한 내성과 끈기가 있었겠지만, 부모님이 보내주신 학비와 하숙비로 별 고생 없이 대학을 졸업했을 뿐만 아니라 직장생활에서도 다른 사람이 부러워할 보직을 차지하고 있었고 승진에서 동기생보다 항상 선두를 유지했다. 말 그대로 부러울 거 없이 탄탄대로를 달려온 인생살이에 고난이나 어려움을 모르고 살았다. 그러다가 괜한 오기심으로 회사를 그만두어 이 고생을 하는구나 하고 후회 아닌 후회도 했었다.

누구에게나 인생은 한번 왔다가 가는 것이 아닌가. 공수래공수거(空

어디 한 곳 찾아가도 반겨주는 사람이 없었고 회사 상호, 제품 등 모든 것들이 생소한 상황에서 오로지 나의 힘으로 영업을 해서 회사의 손익분기점을 달성한다는 것은 정말 어려운 일이었다.

手來空手去), 즉 세상에 빈손으로 왔다가 빈손으로 가는 것이 아닌가. 대부분의 사람들이 어릴 때는 죽음을 전혀 인식하지 않고 생활한다. 그러다 나이가 들고 돈에 너무 집착하게 될 때쯤 죽마고우 친구들을 만나면 공수래공수거란 농담을 자주 하게 된다.

사람들은 아직 깊은 잠에서 깨어나지 않은 이른 시간에 일어나서 해외 출장을 위해 뛰고 달리며 시간 가는 줄 모르고 지내는 것을 천직으로 알고 무역인으로 살아온 세월이 벌써 30년이 되었다. 꽤 오래전이라 기억되는데, 그 해도 똑같이 추석을 맞이해 고향에 계신 어머님을 찾아 뵙기 위해 시골로 향하고 있었다. 마침 승용차 라디오에서 아나운서가 역지사지에 대한 이야기를 하고 있었는데, 그 이야기가 가슴에 딱 꽂혔다. 지금까지 그 이야기를 삶의 타산지석(他山之石)으로 삼고 생활하고 있다.

라디오에서 들려준 이야기는 딸을 가진 부모와 아들을 가진 부모에 대한 이야기로 아들을 가진 부모들이 딸을 가진 부모들 생각을 못 해준

다는 내용이었다. 명절 때면 딸들은 며느리 입장으로 먼저 시댁에 갔다가 그 다음에 친정으로 가는 것이 보통 우리나라의 관습이었다. 딸을 가진 부모들은 항상 뒷전에 서 있는 2번 타자밖에 될 수 없다는 것이다. 그런데도 아들을 가진 부모들은 며느리와 며느리 친정 부모의 심정을 이해하지 못하고 차례준비에다 손님대접, 뒷정리 등으로 계속 시댁에서만 지내게 하는 경우가 다반사이다. 그리고 다음 날 직장출근이나 아이들 등교문제로 친정에 들르지도 못하고 바로 자기 집으로 돌아가는 경우도 있다. 딸을 가진 친정 부모들은 사위와 딸, 그리고 손자들이 오기만을 손꼽아 기다릴 텐데 결국 오지 못한다는 소리를 들으면 그 섭섭함이 말로 표현이 될까. 서로 입장을 바꿔 조금만 생각해 주면 서로가 얼마나 좋을까.

나는 다행히 아들, 딸을 다 가지고 있으니 양쪽 다 이해할 수 있으리라 생각한다. 조물주가 남자와 여자를 다 만들어 놓은 이유가 여기에 있지 않았을까 라는 생각도 해본다. 세상사 모든 것이 양지가 있으면 음지가 있고, 부자가 있으면 굶주리고 배고픈 가난한 사람이 있으며, 또한 권력을 가진 자가 있으면 권력을 못 가진 자가 있기 마련이다. 그래야 세상은 공평하지 않겠는가. 모든 사람이 부귀영화를 누린다면 누가 일하고 군대를 가며 궂은일을 하겠는가. 물론 이를 강조하려고 이야기하는 것은 결코 아니다.

우리가 1등 국가로 가기 위한 제일의 덕목은 바로 상대방의 애로점과 입장을 이해하는 것이다. 이는 정치, 경제, 사회, 문화 등 모든 분야에 있어 동일한 조건이다. 정치하는 이들의 경우 여당은 야당의 입장에서 생각해보면 그렇게 싸우지는 않을 것이며 문화, 예술 분야에서는 연예인들의 자살 등 안 좋은 일들로 야단법석할 일도 없지 않겠는가. 역지사지(易地思之), 바로 상대방의 입장에서 자신을 생각해보면 모든 문제는 쉽게 해결되리라 생각한다. 물론 말처럼 쉬우면 좋지만, 그렇게 안 되는 것 또한 문제이다.

노인, 장애인을 위한 의료기기 사업을 해오면서 처음에는 많은 사람이 의아하게 보고 별 비전이 없는 듯 생각해서 나름 많은 고민을 했었다. 한창 세계화, 국제화로 향하던 88올림픽과 장애인올림픽 이후라 장애인에 대한 인식이 많이 변하지 않았을까 생각했다. 이 시기를 택해 1990년 노인, 장애인용 의료기기용품을 사업 아이템으로 선정하고 기업을 일으켰다. 지금까지 우공이산의 마음가짐으로 꾸준히 그리고 묵묵히 노력해 오고 있다.

물론 그동안 많은 고통과 시련이 있었지만 남이 하지 않는 것을 내가 한다는 보람과 자부심을 갖고 있다. 최근에는 뇌성마비 어린이를 위한 특수차량 등 과거보다는 많이 달라진 국가의 복지정책 등 수년 전 보다는 이쪽 분야가 많이 발전하고 있다. 앞으로 할 일이 더 많지만, 욕심부리지 않고 역지사지의 마음으로 생활한다면 더 좋은 내일이 오지 않을까 기대해 본다.

국경을 넘어 맺어진 평생 인연

진 철 평 | 뉴코리아진흥㈜ 회장

KOIMA 제15대 회장

평생을 무역이라는 업으로 인해 수많은 해외 거래처와 외국인들을 만났고, 희로애락을 그들과 같이 해왔다. 내 인생의 절반은 한국, 절반은 해외에 연결돼 있다고 해도 과언이 아닐 것이다. 그중에서 나의 삶에 커다란 감동을 주었고, 사업에도 커다란 영향을 주었던 두 번의 인연에 대해 이야기하고자 한다.

독일인 H씨

독일인 H씨는 내가 무역대리업을 시작할 무렵인 1976년 처음 만나서 지금까지 한결같이 관계를 가지고 있는 상사요, 동지요, 형제와 같은 분

기술개발과 회사경영 문제로 CEO가 어떤 결단을 내려야 할 때의 과정과 고통, 그러나 성공했을 때의 기쁨 등에 대해서 자세하게 내게 들려주곤 하였다.

이다. 180㎝의 키에 110㎏이 넘는 거구는 마치 일본 스모선수를 연상케 하지만, 그의 명석한 두뇌와 기억력, 그리고 강력한 업무추진력 같은 것은 내가 도저히 따라갈 수 없는 분이었다.

처음 만난 곳은 부산의 D철강공장 구매부서 회의실이었다. 만나기로 약속한 시간을 서너 시간 넘겨도 나타나지 않는 담당자를 기다리면서 안절부절하는 나를 안심시키며 자기가 겪었던 세일즈맨으로 어려웠던 일, 위험했던 일 같은 여러 일화들을 이야기해주었다.

4시간을 기다리던 그의 인내심과 나의 입장을 배려해주던 그의 마음씨에 나는 깊은 인상을 받았다. 그 후로 너무나 많은 일들을 겪었지만, 공적인 일에 대해서는 그분만큼 철저한 사람을 보지 못하였다. 모든 업무내용을 메모하였고, 몇 년이 지난 후에도 이를 다시 확인하므로 내가 당황했던 일이 한두 번이 아니었다.

한번은 H철강에서 있었던 일이다. 담당 임원이 에이전트는 배제하고 외국인만 면담을 하겠다는 것이었다. 나는 한편으로는 창피한 생각이 들었지만, 아주 없지도 않은 일이라 혼자 들어가도록 권하였다. 그러자 어느 사이 눈치를 채고서는 얼굴이 벌게지더니 자기는 에이전트 없이는 혼자는 못 들어갈뿐더러 모든 상담을 취소하고 돌아가겠다는 것이다. 몇 번의 메신저가 오고 가더니 결국은 담당 임원이 나와서 정중하게 사과를 한 후에야 상담을 시작하고 끝마쳤던 일도 있었다.

가장 내게 감동을 주었던 것은 IMF가 시작되고 모두가 시끌시끌하고, 마음들이 꽁꽁 얼어붙었던 그때에 전화를 걸어 나를 위로하면서 조금도 걱정하지 말라, 수 없는 나라들의 경우를 보았는데 한국은 곧 회복될 것이니 염려 말고 자기가 도울 것이 있으면 주저하지 말고 알려달라는 내용이었다. 적극 돕고 나서겠다는 것이었다. 나는 지금도 그분의 그 우정과 따뜻했던 전화 목소리를 잊을 수가 없다.

나는 그분을 통해서 독일과 독일사람들을 이해하게 되었고, 그들의 근면과 성실, 그리고 변함없는 심성들을 알게 되었다. 그분은 정말로 일을 사랑하는 사람이었다.

직장에서 자기의 조수였던 여인과 결혼하고 치과의사인 아들 하나를 둔 그분은 내가 보기로는 돈이나 명예를 위해서가 아닌 정말로 일이 좋아서 일을 열심히 하는 타입의 사람이었다. 일 년이면 반 이상을 해외여행으로 보내는 그를 이해해주는 부인에게 늘 고마운 마음과 깊은 신뢰를 가지고 있었으며, 우리가 서로 사귄 지 그 오랫동안 남자로서 한 번도 흐트러짐이 없었다.

나는 그분을 만난 것이 내게 가장 큰 축복이었다고 생각한다. 내게 비즈니스맨으로서의 기본자세를 본 보여주었고, 변함없이 상대방을 믿어줌으로써 결국은 상대방을 믿을 수 있는 사람이 되게 하는 덕목을 내게 가르쳐 주었다. 세월이 흘러 이분이 은퇴를 하고 컨설턴트로서만 회사에 관여하게 되었을 때도, 여전히 현직에 있을 때와 똑같은 자세로 열심히 일하는 그분을 보면서 이런 분들이 있었기에 라인강의 기적이 이루어졌고, 독일통일이 가능했고, 유럽연합도 가능했으리라는 생각이 들었다. 요즘도 가끔 그분의 따뜻한 전화 목소리가 그리워진다.

독일인 Dr. L(Luehring)

이분은 1984년 가을에 Hanover에서 만났다. 우연히 서울에서 내가 도와준 Dr.Arndt 란 분이 독일에 오면 꼭 연락해 달라고 당부를 해서 연락을 했더니 만나자고 해서는 L씨를 소개해 주어서였다. 6척 장신에 건장한 체격, 그리고 부리부리한 눈매에, 마치 장군타입의 인상이었다. 이때부터 5, 6년간의 피나는 노력 끝에 이분이 그때 내게 맡겼던 제품의 국내판매가 이루어지게 되었다. 이분은 통신업계에 잘 알려진 거목이었으며, 특히 기술개발과 회사발전에 탁월한 업적을 남기신 분이었다. 한국에는 두 번 방문했으며, 그때마다 나와는 꽤 많은 시간동안 개인적인 이야기를 할 수 있는 기회가 있었다. 기술개발과 회사경영 문제로 CEO가 어떤 결단을 내려야 할 때의 과정과 고통, 그러나 성공했을 때의 기쁨 등에 대해서 자세하게 내게 들려주곤 하였나. 한번은 우리가 판촉물로 만든 전화카드를 보여줬는데 어린아이처럼 좋아하며 독일에 기념품으로 가지고 가서 책장에 진열해놓고는 부하직원들에게 늘 자랑을 하던 매우 다정다감한 분이었다.

이분이 내게 남겨준 교훈 첫 번째는 전자통신 분야에서는 기술력이 앞서지 않고서는 도저히 살아남을 수 없고, 둘째는 비즈니스로 경쟁을 할 때에는 절대로 상대방의 약점을 이용하는 일이 없도록 해야 하며, 셋째는 사업이나 인생살이나 항상 눈앞에 이익만 집착하지 말고 긴 안목으로 내다보라는 것이다.

나는 회사의 창업자였으며, 거의 절대적인 권위와 지배력을 가지고 있던 그분이 65세 정년을 맞아서 후배들에게 자리를 물려주고 아내와 같이 스페인의 어느 휴양지로 떠나게 되었을 때 그분의 쓸쓸한 표정을 잊을 수 없으며, 후배들이 이런 사실을 당연하다는 식으로 너무나 태연하게 받아들이는 것이 그 당시에는 몰인정하게 보였다. 하지만 지금 와서 돌이켜보면 그 자체가 세대와 세대를 잇는 자연스러운 과정이 아닌가 싶다. 나는 그분을 통해서 세계적인 통신사들의 경영자들과 유력인사들을 접할 수 있었다. 여전히 할 일이 많은 분이고, 나도 더 배울 것이 많은 분이었는데, 그분의 은퇴는 나로서는 퍽 안타까운 일이 아닐 수 없었다.

나는 늘 내가 인복이 많은 사람이라고 생각한다. 이런 분들과 함께 사업을 하면서 이분들의 경험과 노하우를 체득할 수 있었다는 것은 나에게는 큰 축복이 아닐 수 없었다. 이 두 분은 내게는 결코 잊을 수 없는 사람들이다.

킬리만자로의 표범

최 선 희 | ㈜CAC무역 대표이사

KOIMA 자문위원

비즈니스든 인생이든 치열한 생의 한가운데에서 꿈과 이상을 좇아 새로운 것을 찾아 역동적인 결과를 얻어내는 것이 삶의 보람이고 즐거움이라 생각한다.

아직 기억이 생생하다. 1995년 2월 말, 1975년부터 대한민국의 수출을 주도했던 7대 종합무역상사 중 수출실적이 4위였던 주식회사 쌍용에서 과장으로 있다가 사업을 하기로 결심하고 과감하게 퇴직을 했다. 당시 일본에 시멘트를 수출했던 경력을 배경 삼아 적당한 품목과 사업 아이템을 물색하느라 중국을 방문했었으나 여의치 않아 귀국해 고민 중이었다.

그러던 중 국내 동물의약품 생산업계에서 자본 및 매출 규모 1위였던 ㈜중앙케미칼(1970년 설립, 2005년 9월 매각)에서 동물의약품 사료첨가제의 수출입을 위한 전문무역상사를 설립 추진 중이었는데, 친인척의 소개로 나는 과감히 50%씩의 지분투자로 1995년 4월 28일 현재의 ㈜CAC 무역을 법인으로 설립하게 되었다.

투자회사였던 상대방 ㈜중앙케미칼은 1999년 코스닥 상장으로 상호명을 ㈜중앙바이오텍으로 변경 유지하다가 2005년 9월 펀드 업체에 매각하게 되었다. 이때 나는 나머지 지분 50%를 전량 인수하여 독립 기업체로 17년째 경영해오고 있다. 이로써 주력 사업 품목이 장치산업 생산재인 시멘트 수출에서 바이오케미칼로 제조되는 동물의약품과 사료첨가제 생산을 위한 원료 수입 및 완성 생산 제품의 수출로 변경하였다.

이를 위해 수입을 위한 대외무역법으로 규정된 관리 약사를 고용했고 동물용 비타민, 구충제, 항생제, 주사제 및 소독제와 단미사료의 수입판매를 위한 연구와 공부를 해가면서 사업 영역을 넓혀 갔다.

당시 축협(현재 농협으로 통합되었음)에 조달되는 사료첨가제 입찰을 위해서는 한국무역대리점협회(AFTAK : 현 KOIMA의 전 명칭)의 추천 인증이 필요했기에 1995년 9월, 협회에 회원 가입을 하였는데 벌써 25년이 되었다. 협회에 가입하면서 다양한 사업적 교류를 통해 비즈니스 창출이나 비즈니스 기회, 그리고 사업 아이템에 좋은 정보와 조언을 얻었고 더욱 연구할 수 있는 기회를 가지게 되었다. 또 KOIMA 동호회 회원들과의 정보교류와 친목을 다질 수 있는 즐거운 협회 생활을 할 수 있어 고맙게 생각한다.

대학에서 무역학을 전공했고, 지금도 국제적으로 상품과 원자재를 연결하는 무역상사를 경영하고 있는 필자는 다양한 수출입 경험과 우여곡절을 슬기롭게 극복한 경험이 있다.

20여 년 전 겪었던 두 가지 이야기를 통해 후배들에게 도움이 되는 일들을 전해 주고자 한다. 매실 농축액과 신선 당근 두 품목의 수입·수출 시 발생했던 클레임과 그 해결 과정을 소개하고자 한다.

매실 농축액 클레임 사례

2000년 웅진식품에서 개발하고 시판했던 '초록매실' 음료가 대박이 났었다. 당시 시청률 1위로 가장 인기 있던 TV 드라마 '허준'에서 매실이 역병 예방과 치료에 효과가 있다고 방영되면서 연간 1억 병 이상이 판매되었다. 그에 따라 원료인 매실 농축액 수급이 급선무였다. 당시 국내산 매실 농축액 공급은 절대적으로 부족해 웅진식품에서는 대만과 중국에서 매월 40' 컨테이너로 10개 이상 수입하는 상황이었다. 이런 시장 상황을 인지하고 중국 광동성 Jiabio에서 공급원을 발굴하여 매월 40' 컨테이너로 3개씩의 수입 납품을 의뢰받아 공급하고 있었다. 그러던 중 2001년 웅진식품 유구 공장에서 20kg 포장 용기 안에 농축액이 흐르는 문제가 발생 되어 반품 요청의 클레임을 받았다.

산정 높이 올라가 꿈과 이상의 새로운 것을 찾기
위해 열정을 불사르고 죽어갈 수 있는, 활동적이고
역동적인 조화가 있는 삶을 만들어 가는 것에
나는 즐거움과 보람을 느낀다.

해결 과정

클레임 발생의 원인 분석을 위해 중국 제조 공장의 매실 농축액 생산 담당 공장장과 마케팅 본부장을 한국으로 초청하여 웅진식품 유구 공장 Q.C측과 일주일간 그 원인과 대책 협의를 진행했다.

문제 발생 원인은 농축액을 담은 20kg 플라스틱 용기 안에 농축액을 두 겹의 비닐로 포장한 부분에서 발생했다. 포장한 안쪽과 바깥쪽 비닐의 종류가 PP라서 운송 도중 항해 시 선체의 흔들림과 부산항에서 충남 공주 유구 공장까지의 트럭운송과 상하차 시 포장 내부의 충격으로 미세한 균열이 발생하게 되었고, 그 균열된 틈 사이로 농축액이 흘러나온 것이었다.

40' 컨테이너의 30%인 10톤(400통) 정도가 미생물 오염 위험으로 나와 식품용으로는 적합하지 않다는 판정을 한 것이다. 이 물량에 대해 반품 통보를 받았으며 당시 금액으로 약 1억 원의 손해가 예상됐었다.

협의 결과, 차기 선적분에 그에 상당하는 물량을 추가해 보상하겠다는 양해각서를 주고 해결했다. 또 농축액은 플라스틱 용기 안의 비닐 포장 시 PE로 처리해야 된다는 것을 알게 되었고, 중국 생산 공장에도 포장재에 대한 정보를 공유해 주었던 사례이다.

신선 당근 클레임 사례

용산의 농산물 도매시장에서 시작해 가락동 농산물까지 20년 이상 신선 당근 전국 총판 경험을 가진 업체인 태평농역과 1999년에 여러 가지 상황을 감안하여 수입 L/C를 Open해 주는 조건으로 매월 40' 컨테이너의 20-30개 물량의 수입대행 요청을 받았다.

농업 관련 사업은 국내 기후에 따라 흥망성쇠가 달려있다고 해도 과언이 아니다. 처음 2-3년간은 순조로이 진행되었으나 2002년 6-10월의 국내 날씨가 매우 좋았던 관계로 국내 당근 생산량이 많아 수입 당근 판로가 끊기게 되었다. 중국 산동성에서 재배해 수입하기로 한 계약물량의 이행을 위해 수입은 해와야 하는데 국내에서 처리가 안 되는 상황이었다. 부득이 부산 보세 공장에 반입한 후 대만으로 수출하기로 했었는데, 당시 중국과 대만은 적대적 관계로 상호 거래를 할 수 없도록 양국 간 법으로 규정되어 있었다. 그래서 편법이지만 보세 공장에서 10kg 포장 박스에 원산지 표시를 중국산에서 한국산으로 바꿔 선적하였다. 그런데 대만으로 2002년 9월 One Shipment로 선적했던 12개 40' 컨테이너 중에서 일부 물량에 문제가 발생했다.

국내 부산 보세 창고에서 원산지 표시 스티커 작업 중 작업자 실수로 일부가 중국산으로 표기된 채 수출되었고, 대만 Keelung 항에서 하역 작업 중 이것이 발각되어 통관이 보류되는 클레임이 발생 되었다.

더욱이 신선 농산물은 냉장 상태로 보관되더라도 시간이 흐르면 상하게 되어 판매할 수 없는 시급한 상황이었다. 우선 대만 바이어와 협상을 위해 타이베이 외곽에 위치한 회사를 신속하게 방문했다.

해결 과정

바이어 측에서는 한국 측 실수로 인해 전량 폐기하겠다며 폐기 비용을 포함하여 판매지연에 따른 기대수익 감소액까지 지불해 달라는 강력한 입장이었다. 하지만 1995년부터 당사와 거래 관계가 있는 대만 현지 동물의약품 거래업체의 인맥을 총동원하여 대만 세관과 협상을 통해 겨우 통관시켜 신선 당근을 납품하게 되었다. 그런데 바이어가 주문량인 40' 12개 물량의 물품대 3억 원 중 40%인 1억2천만 원만 결제하겠다고 연락이 왔다. 이에 이의 제기를 해서 대만 변호사를 선임하여 소송을 하게 되었다. 1, 2심 재판의 원고로 참여하여 10kg의 종이박스를 중국에서 수입했지만 작업자의 중국산 표시가 지워지지 않았다는 내용을 재판부에 영어로 설명하였고, 영어가 가능한 대만 통역자가 담당 판사께 중국어로 통역하는 방법으로 재판이 진행되었다. 대만 재판부의 자국민 보호를 위한 판결이 나올 수 있다는 우려를 하였지만, 다행히 대만 법정에서 승소를 하게 되었다. 바이어의 납품 지연으로 인해 발생했던 손실을 배려해서 물품 대금의 80%인 2억4천만 원을 지불받았고, 소송비용도 바이어가 부담하게 되면서 이 클레임건을 종결했다.

종합무역상사에서 수출업무 12년, 사업경력 26년째, 38년 동안 무역업을 해나가면서 위의 두 제품 클레임 외에 다른 업무에서도 많은 문제들로 금전적 손해도 있었고 아직 미수금도 있지만, 그럼에도 불구하고 회사를 유지하고 건재한 것만으로도 감사한 일이다.

먹이를 찾아 산기슭을 어슬렁거리는
하이에나를 본 일이 있는가
짐승의 썩은 고기만을 찾아다니는
산기슭의 하이에나
나는 하이에나가 아니라 표범이고 싶다
산정 높이 올라가 굶어서 얼어 죽는
눈 덮인 킬리만자로의
그 표범이고 싶다

유명했던 유행가 '킬리만자로의 표범'의 가사와 같이 짐승의 썩은 고기만을 찾는 하이에나가 아니라 산정 높이 올라가 꿈과 이상의 새로운 것을 찾기 위해 열정을 불사르고 죽어갈 수 있는, 활동적이고 역동적인 조화가 있는 삶을 만들어 가는 것에 나는 즐거움과 보람을 느낀다.

2백만 년 전의 수렵 채취로부터 1만 년 전의 농업으로, 200년 전의 산업시대에서 20세기 말부터는 정보화시대로 급변하는 세상에 우리는 살고 있고, 지금은 코로나 이후의 언택트 비즈니스(Untact Business) 연구가 필요한 시대를 살아가고 있다.

어떠한 변화가 있더라도 인간들의 의식주는 계속될 것이고, 무역의 기본 수단인 수출입업은 나의 생존방법으로 남아 있을 것이다. 똑똑한 매개자 역할을 창의적으로 해나가고, 정체된 균형(Balance)이 아닌 활동적인 풍요의 조화(Harmony)를 만들기 위해 오늘도 고민하며 살아가는 것이다.

입국심사에 HEALTH INSURANCE를 내라니!

최 영 식 | 대경양행 대표

KOIMA 자문위원

해외 무역을 하다 보면 아무리 조심을 해도 눈 뜨고 당하는 기가 막힌 상황을 맞이하기도 한다. 특히 생경한 나라와 처음 거래한다면, 돌다리도 두드려 가며 가둣이 조심 또 조심해야 한다. 상대방이 친절하고 가격 조건이 좋다고 해서 쉽게 믿고 거래를 한다면 돌이킬 수 없는 사태를 맞이할 수 있기 때문이다. 몸소 뼈저리게 겪었던 실패담을 소개하고자 한다.

2001년 1월, 중고 단조 프레스(The second hand forging press) 구매를 위하여 발트 3국중 한 곳인 리투아니아를 방문하게 되었다. 시흥에 있는

㈜서흥 단조에서 1,500톤 프레스가 필요했는데, 마침 웹사이트에 소개된 SMERAL 회사 제품의 프레스가 나와 거래처의 마음을 사로 잡았고, 제조연도며 제시된 가격도 흥미를 끌기에 충분했다.

모스크바를 거쳐 리투아니아의 수도 빌니우스에 도착하니 늦은 오후가 되었는데, 입국 수속 중에 담당 여직원으로부터 생애 최초의 요청을 받고 난 당황하지 않을 수 없었다. "Can you show me the health insurance?"라는 것이었다. 내 여권에 기록된 수많은 스탬프를 보여주면서 수많은 국가를 방문했지만, 건강보험(HEALTH INSURANCE)을 보여달라는 곳은 처음이라고 하였더니 저리로 가라며 다시 부르지 않았다. 약 30분 정도 골방에 처박혀 있자니 분통이 터져 그 여직원한테 가서 따졌다. "Do you think I am stupid to accept your proposal to submit the health insurance?" 하였더니 저리로 가시오 하며 손짓을 하였다.

그냥 갈 내가 아니었다. "You would pay a dear price when you know from whom I was invited to your country." 하였더니 그 직원은 눈이 뚱그레졌다. "You should be stupid enough to take your risk to be paid a dear price, I saw the gentleman standing outside, let me contact the gentleman." 하고 "hey come on?"했더니 금방 내보내어 주었다.

어렵사리 입국 수속을 하고 나오니 초청자는 나를 반가이 맞아주었고, 벤츠 차량과 기사를 대동하고 빌니우스 시내 중심가에 있는 호텔로 나를 인도하여 하루를 보내게 하였다. 그 친구는 Mr. Nick이라는 이름으로 영어는 유창하였고 생기기도 영화배우 같았다. 자기는 영국 브리스톨 대학에서 사회학을 전공했으며, 아버지는 러시아 항공기 조종사이

사기를 당한 것이다. 캐나다 소재를
파악하여 소송을 시작하였다. 하지만
캐나다 법이란 것이 우리와는 완전 달랐다.

고, 자기는 캐나다에 살고 있다고 하였다.

또 발트 3국에 관한 간략한 소개를 하여 주었다. 발트 3국은 발트해 연안의 세 나라 라트비아, 에스토니아, 리투아니아로 구성되어 있으며, 국토 면적은 작고 인구수도 많지 않지만, 수난의 세월을 이겨내고 본인들의 문화를 고스란히 이어가는 모습을 보고 있노라면 이 나라들이 결코 작게만 느껴지지 않을 것이라고 하였다. 예로부터 이민족과 강대국의 지배를 받아오다가 18세기에는 러시아의 영토가 되었다가 1918년 독립하여 세 공화국이 되었으며 1934년 발트 3국 동맹을 체결하게 되었다. 1940년 소련에 합병되었으나 그 후 독일에 점령되었을 때를 제외하고는 민족 공화국으로서 명맥을 유지하였다. 민족과 언어 면에서 에스토니아인은 우랄계, 라트비아와 리투아니아인은 슬라브계 소수 민족에 속한다. 1990년 고르바초프의 개혁 정책의 일환으로 독립의 움직임이 본격화되었다가 1991년 보수군 세력의 쿠데타 실패 후 러시아연방 최고 회의에서 승인됨으로써 51년 만에 독립한 역사를 가지고 있다.

나라는 산이 높지 않았고 석양에 비치는 전경은 보기 좋아 흡사 북극

지점에서 보는 오로라 같았다. 참 보기 드문 광경은 전신주의 전선에 달린 고드름이 흡사 산타클로스의 수염을 보는 듯하였다. 가장 좋았던 부분은 아무래도 도시 물가였다. 일반적인 서유럽에 비해서 음식 물가나 호텔 숙박비가 너무 저렴하여 여행은 부담 없이 할 수 있을 것 같았다. 열흘 정도 빌니우스에 머문다면 가장 저렴한 호텔 기준으로 30만 원 정도면 숙소, 식비, 기념품 쇼핑이 다 해결될 것으로 생각되었다.

다음 날 프레스가 있다는 공장으로 여정을 시작하였다. 방문하는 공장마다 수많은 프레스가 노천에 방치되어 있었고, 작업장의 작업 환경이 너무도 열악하였다. 난방은 전혀 되어 있지 않았고 작업장은 비닐로 둘러싸여 있었다. 여러 곳을 방문하는 동안 운전기사는 자꾸 바뀌어 좀 이상했지만 못사는 나라이니 고용 창출이거니 하고 생각하였다.

일주일 정도 발트 3국을 방문하고 내가 찾던 중고 단조 프레스도 계약하고 기분 좋게 한국으로 돌아와 계약에 따른 선수금 30퍼센트를 송금했는데, 문제가 발생하였다. 첫째, 해당 웹사이트에서 모든 연락 사항이 삭제되었고 그렇게 잘 되던 전화, 메일, 팩스가 두절되었다. 사기를 당한 것이다. 둘째, 캐나다 소재를 파악하여 소송을 시작하였다. 하지만 캐나다 법이란 것이 우리와는 완전 달랐다. 집을 찾아갈 수도 없을뿐더러 변호사도 그 지역의 변호사를 선임하여야 했다. 상황이 발생할 때마다 새로운 송금을 요구하여 결국 반액 정도를 변호사 비용으로 지불하고 이 사건을 마무리하였다.

새로운 나라와 거래할 때 당황 하지 않고 처신하는 것까지는 좋은데, 경험하지 않은 비즈니스는 피하는 것이 좋겠다는 생각이다. 그 이후로는 내가 잘 할 수 있는 것, 즉 'The metal forming and the affiliated business category' 사업에만 집념하고 있다.

낯선 이국에서 뜻하지 않은 사기극에 말려 든 것으로, 너무나 당황스럽고 허무한 비즈니스의 결말을 맛보았지만, 비싼 수업료를 지불하고 배운 인생 교훈이라 애써 스스로 위로해 본다.

해피 스파크!

최 유 섭 | 텔콤인터내쇼날㈜ 대표이사

KOIMA 부회장

인간은 원초적으로 노는 것을 좋아하는 '노는 동물'이다.

현대적 의미로는 '잘 노는 사람이 일도 잘한다'로 바꾸어 생각할 수 있다. 잘 논다는 것은 자신이 안배한 시간을 잘 활용할 수 있다는 뜻이고 자신의 일과 인생 시나리오를 그만큼 밀도 있게 수정할 수 있는 능력이 있다는 뜻이다. 휴(休)테크를 잘하는 사람일수록 업무 몰입도도 뛰어난 편이다.

뛰어 놀고 있는 어린 아이의 표정을 떠올려 보라!

나 역시 어릴 때 놀다 보면 언제 캄캄해졌는지도 모른 채 신나게 놀았

*"하루하루를 스파크 튀도록 절실하게 살아 보자!
그렇게 불똥 튀기며 일해 본 사람은 안다. 그 일에
자신의 생계를 걸어본 절실한 사람은 더욱 잘 안다.
자신의 생을 혼자 힘으로 이룬 자의 기쁨과 성취감을…"*

다. 그런 몰입이라면 어떤 힘든 일이라도 신나게 즐기면서 할 수 있지 않을까? 역설적으로 일에서 즐거움을 찾는다면, 일이 행복을 가져다 준다고 생각할 수 있다.

행복한 젖소가 더 질 좋고, 더 많은 우유를 생산한다. 직원이 행복해야 생산성이 높아지고 고객도 행복하다. 행복한 고객은 다른 고객을 불러온다. 즐거움과 행복이 서로 꼬리를 물고 퍼져나가는 해피 바이러스의 선순환 구조이다.

행복한 회사의 직원들은 예기치 못한 급격한 변화와 위기의 소용돌이 속에서도 흔들리지 않고 평온함을 유지할 수 있다. 기존의 안정과 편안함에 길들어있지 않고 변화와 도전을 즐기는 사람들이기 때문이다. 일찍이 레오나르도 다빈치도 쇠는 안 쓰면 녹슬고, 고여있는 물은 썩으며, 게으름은 정신의 활력을 앗아간다고 갈파했다. 부지런히 살아 움직이는 연어만이 모천에 회귀하여 알을 낳는 법이다.

진정한 의미의 자유란 공동체 모두에게 유익한 결과를 가져온다고 믿는다. 기업이라는 공동체가 추구하는 밝은 미래를 꿈꿀 수 있으려면 직원 각자가 모두 잘 되어야 한다. 직원을 위한다며 방임에 가까운 자유를 주면 그들은 자신의 자유를 제대로 유지하지 못한다. 다른 사람 눈치를 볼 필요 없이 스스로의 자유로움을 참고 자제해야 할 때가 있다. 서로의 자유를 침해하지 않으면서 일을 잘 맞추는 팀에서 좋은 생각과 좋은 결과가 나온다.

리더로서 부하에게 불만을 갖지 않는 제일 쉬운 방법은 무관심하거나 외면하는 것이다.

그러나 이러한 방법으로 상황이 편안해진다고 생각하는 리더 밑에서 일하는 부하직원은 불행하다. 사람은 자극을 통해 성장하기 때문에 이런 리더 밑에서 일하는 부하는 성장할 기회들을 박탈당한 것과 같기 때문이다. 일찍 출근한 직원들은 업무를 위한 워밍업으로 하루를 시작한다. 모든 인간은 곧바로 본론으로 들어갈 힘이 부족하다. 늘 나태해지지 않고 더 나은 고객 서포터를 지향할 수 있는 조직 문화는 이러한 사소한 습관에서 나오는 것이다.

우리에게도 변화의 순간은 온다.

육상의 달리기, 빙상의 쇼트트랙에서 순위가 바뀌는 것은 코너링을 할 때다. 얼마나 빨리 방향을 전환하느냐가 승부를 가른다. 루이 파스퇴르는 '변화는 준비된 정신을 원한다.'고 말했다. 변화는 고통뿐 아니라 예기치 않은 즐거움도 준다.

자신의 일을 소명으로 생각하는 사람은 언제나 일터로 가는 것이 소풍을 가는 것처럼 즐겁다. 이들은 일에서 보람과 재미를 동시에 발견한다. 지금 하고 있는 일이 내가 '되고 싶은 꿈'을 실현하기 위한 일이기에 스스로가 일의 주인이 된다. 주인 정신과 긍정적으로 생각하는 사람에게 일터는 즐거움이 있는 축제의 장소이자 자신이 되고 싶은 꿈을 실현할 수 있고, 열정이 살아 숨 쉬는 터전이 된다.

일을 통해 자신의 재능을 계발하고 다른 사람을 돕고 세상을 개선할 수 있는 기회가 된다면, 직장과 삶의 모든 순간 해피 바이러스가 퍼져 나간다. 꿈은 현재를 이끄는 정신의 원동력이고, 상상력은 현실을 바꾸어 나가는 강력함이다. 그리고 열정은 성공의 에너지다. 성공을 위해 실패를 거듭할 수 있는 능력이 바로 열정이다. 물론 열정 가득한 가슴만으로는 꿈을 실현시킬 수 없다. 실행력 또한 갖춰야 한다. 나중에 할 거면 지금하고, 지금 하지 않으면 나중은 오지 않는다. 지금 행동해야 한다. 행동이 성공을 보장한다. 어떤 행동이든 하지 않는 것보다 낫다.

인생을 후회하고 싶지 않다면, 오늘도 부지런히 목표를 향해 달려야 한다. 항상 준비한다. 그리고 순수한 마음으로 즐긴다. 끌리면 끌리는 대로 무작정 좋아하기로 한다. 지금을 즐기다 보면 결과마저 좋아질 거라 믿는다. 결과가 좋으면 결국 힘들었던 과정까지도 좋아지고 보상받을 거라 믿는 것이다.

대충 얼렁뚱땅 지나가는 것을 경계하며 하루하루를 스파크 튀도록 절실하게 살아 보자! 그렇게 불똥 튀기며 일해 본 사람은 안다. 그 일에 자신의 생계를 걸어본 절실한 사람은 더욱 잘 안다. 자신의 생을 혼자 힘으로 이룬 자의 기쁨과 성취감을, 우리 삶 곳곳을 충만하게 하기 위해서는 나 자신부터 더 채워 나가야 할 것이다.

번쩍! 스파크가 튀는 설렘으로 그 담대한 미래를 마음속에서 선명하게 그려보자!

열렬히 소망하고 깊이 믿으며, 열정을 가지고 행동하자!

Nostalgia for spinning mills

Choe Chong-dae

President of Dae-kwang International Co.

Having been engaged in the cotton business since the 1980s, I feel nostalgic for Korea's textile and spinning mills.

During Korea's poverty-stricken 1960s and 1970s, a massive number of young female workers toiled day and night to assist in the operations of textile and spinning mills that manufactured yarn and fabrics in cities such as Busan, Daegu, Jeonju, Gwangju and Seoul. During that time, the female workers at textile mills played a significant role in accomplishing the "Miracle of the Han River," Korea's rapid and successful industrialization. Comparable to the toils of Korean nurses sent to West Germany to serve as guest workers five decades ago, the female textile employees devoted themselves to securing Korea's economic development despite unfavorable workplace conditions.

Recently, I have been deeply impressed by the illustrious career of Kim Mi-ae, a lawyer-turned-lawmaker elected in the April 15 general election.

She introduced herself proudly as having worked at a textile and spinning mill in Busan while a teenager from a poor family. After leaving the mill, she passed the state-run bar examination and served as a lawyer. She adopted three children despite being unmarried. Finally, she won in the general election for a race in Busan last month and was featured widely in the media. Her victory has offered hope and encouragement to young female employees currently working at textile mills as well as at other manufacturing facilities.

Remarkably, during the 1960s, 1970s and 1980s, Korea's textile apparel-related industry was one of the leading industries to earn foreign exchange. When the industry was at its peak, exports of cotton textile goods played a pivotal role in Korea's initial industrialization.

However, in more recent decades, it has subsequently been sluggish with the advent of other industries such as automotives, electronics and information technology. It has seen a remarkable decline in the number of operations and employees due to increasing labor costs as well as

I remember the repertoire of the song "Song of the Weaving Loom" that was filled with the joy and sorrow of a typical woman's life.

the government's complicated regulations. Consequently, the majority of textile mills were forced to move production lines overseas for a more favorable business environment. Furthermore, some mills had to permanently shut down in the aftermath of the Asian financial crisis in the late 1990s.

It is difficult to mention the textile industry without thinking of cotton, the basic raw material that is imported entirely from abroad. It has been used extensively in spinning yarn and thread to be woven into diverse fabrics for garments, which have a significant impact on the daily life of all people.

Purchasing cotton at a competitive price has been a very sensitive and difficult task because its price fluctuates daily in accordance with the New York Cotton Exchange Futures Market. Every cotton contract, even those involving far-distant-future shipments, is first concluded by telephone confirmation without a deposit. Although the value of cotton may increase or decrease after the verbal confirmation, the contracted price and relevant terms should be honored and unchanged.

In the past, there have been many interesting stories about purchasing cotton in Korea. Although this story may be apocryphal, it is said a leading spinning company executive frequently consulted a fortune teller on when was the best time to buy cotton at the most attractive price, instead of discussing with his company staff.

Cotton reminds me of the spinning wheel. When I was a teenager in the 1960s, I frequently noticed women busily working on the traditional spinning wheel and loom as they wove fabric in rural towns. I remember the repertoire of the song “Song of the Weaving Loom” that was filled with the joy and sorrow of a typical woman’s life.

I urge the government to loosen regulatory restrictions and foster a more business-friendly environment, not only for the textile industry but also for other industries. Let’s bring those overseas mills home and encourage reshoring to create many new jobs in Korea.

무역 유감

홍 사 운 | 대청산업사 대표

KOIMA 부회장

무역업에 몸담아 오면서 기쁜 일이나 큰 성취감 또 예상치 않은 수익을 얻은 일도 많지만 실수하거나 실패한 경험 그리고 손해 본 일도 있다. 오히려 실패한 일을 통해 더 큰 교훈을 얻기도 한다. 지금으로부터 40여 년 전에 겪었던 쓰라린 경험을 떠올리면 지금도 씁쓸하기 그지없다. 해외시장을 개척하기 위해 불철주야 노력하는 후배 젊은 무역인들이 나와 같은 실수를 다시 겪지 않도록 바라는 마음에서 몇 자 적는다.

40여 년 전 우리나라 정부는 한창 수출 드라이브 정책을 강력하게 밀고 나가는 중이었고, 내가 다니던 회사도 미국, 중남미, 유럽 심지어 아

프리카까지 지역을 가리지 않고 시장개척을 위해 올인하던 시대였다.

첫 번째 시련은 아프리카 리비아에서 날아온 엄청난 양의 스웨터 주문에서 시작되었다. 뜻하지 않은 대량의 주문을 받은 나는 일에 대한 욕심이 앞서 앞뒤 가리지 않고 일단 진행하였다. 처음 거래하는 나라와 상대 업체의 신용상태나 규모 등을 확인하지 않은 채 신용장만 믿고 엄청난 물량의 스웨터를 컨테이너에 적재, 선적했다. 그런데 당시에는 부산에서 직행 선박이 없어 일본 KOBE 항에서 환적을 해야 했다. 하지만 바로 환적이 되지 않고 일본 화물을 우선 선적하고 여유가 생겼을 때 우리 물건을 선적해 주는 것이었다. 한두 달 딜레이 되는 경우가 허다했다. 이렇게 선적된 물건은 또 한 달 이상 걸려 리비아 벵가지 항에 도착하는 것이다.

여기서 문제가 발생하고 말았다. 우리 쪽 해운사가 발급한 선하증권으로 네고는 했지만, 현지 은행에 보낸 서류는 선적한 물건이 늦게 도착했다는 이유로 수입업자가 지불 거절을 한 것이었다. 당시 금액은 미화 백만 불 정도로 상당히 큰 금액이었다. 은행은 이 건이 미지급(UNPAID) 처리가 되니 우리 측 회사에 변제 책임을 전가하고 담보물에 대한 압류조치를 진행하였다.

때마침 나는 유럽 통상사절단의 일원으로 독일 베를린, 스웨덴, 프랑스 등지를 출장 중이었는데, 본사로부터 급전을 받았다. 리비아 수입처에서 물건의 인수를 거부하고 UNPAID가 났으니 리비아 현지에 직접

“비싼 수업료를 내고 얻은 교훈은 아프리카 지역 업체와 거래시 대금 회수가 보장이 안 되면 아예 상담을 하지 말아야 하고....”

가서 원인을 알아보라는 지시가 떨어진 것이다. 당시 리비아에는 비자가 없으면 들어갈 수 없었다. 결국 파리에서 일주일 머물면서 리비아 입국 비자를 어렵게 받고 리비아 벵가지행 비행기에 탑승할 수 있었다. 비행기 안에는 파리가 날아다닐 정도로 열악했고, 어렵사리 2시간을 날아 공항에 도착하니 활주로에 내려 승객이 각각 직접 짐을 찾아 공항 안으로 들어가야 했다. 현지 공항시설도 기대 이하로 형편없어 불평이 저절로 나왔다.

우여곡절 끝에 다행히 수입업체 사장이 공항에 마중 나와 만날 수 있었다. 그 길로 수입회사로 쫓아갔는데 깜짝 놀랐다. 그 회사의 규모가 남대문시장 의류판매장과 흡사했다. 이런 곳에 그렇게 많은 물량을 보냈다니 눈앞이 캄캄했다. 백만 불 정도의 물건을 수출하면서 신용장 하나만을 믿고 거래했던 것이 나의 큰 불찰이 아닐 수 없었다.

결국 손해를 감수하고 선적한 물건 대금의 절반 이하의 가격으로 수입업체와 합의할 수밖에 없었다. 보낸 물건을 거의 버리다시피 처리하고 철수해야 했던 뼈아픈 경험이 되었다. 비싼 수업료를 내고 얻은 교훈은 아프리카 지역 업체와 거래시 대금 회수가 보장이 안 되면 아예 상담을 하지 말아야 하고, 특히 신규거래의 경우 꼭 현지 방문과 회사신용을 확인 후에 거래를 해야 한다는 것이다. 그렇지 않으면 낭패를 볼 확률이 높으니 꼭 유념해야 한다. 특히 치안상태가 좋지 않은 곳이 많아 호텔 안에만 있어야 하고, 호텔 밖을 자유롭게 다닐 수 없는 곳이 많다. 심지어 귀국을 무사히 할 수 있을까 하는 걱정을 하는 경우도 있었다. 그만큼 여러 가지 리스크에 대비해야 한다는 교훈이다.

두 번째 시련도 아프리카와 연계된 것이었다. 나이지리아에서 온 신용장을 믿고 역시 오만 불 상당의 스웨터를 제조해 보낸 것이 지불 거절이 되었다. 서둘러 알아보니 신용장이 가짜라는 것을 알았다. 이를 해결하려고 유럽 출장 중에 나이지리아에 들어가기 위해 티케팅을 하려고 알아보니 현지에 쿠데타가 일어나서 비행기가 뜰 수 없는 상황이 벌어졌다. 더욱이 치안 상황이 나빠져서 출장 가는 것 자체를 포기하고 돌아온 기억이 있다. 이 외에도 정도의 차이는 있으나 50여 년간 수출입을 하면서 이런 저런 시련에 놀라기도 하고 고민도 하고 손해를 보기도 했다. 때론 극적인 해결을 통해 쾌감을 느끼기도 했다.

무역업에 종사하는 수입협회 회원들도 그와 유사한 경험을 겪었을 것으로 생각된다. 아직 이러한 경험이 없다면 타산지석으로 삼아 이런 황당한 경험을 겪지 않고 손해 보는 일이 없도록 간절히 바라는 마음이다.

무역이라는 삶의 터전에서 수많은 실패와 실수를 거름 삼아 지금까지 버텨온 한국경제의 주역들이 바로 이들이라는 생각에 가슴 찡한 감동이 전해 온다.

국방에도 기여하고 재정에도 도움주고

고 광 석

KOIMA 제18대 상근부회장

회비수입만으로 사단법인이 흑자운영을 하는 것은 불가능에 가깝다. 그래서 회비나 재정지원에 대한 의존도를 낮추기 위해 새로운 재원을 발굴하는 것은 수입협회도 예외가 아니어서 역대 집행부의 해묵은 과제였다. 그러던 중 방위사업청의 국외조달 수리부속품에 대한 입찰에서 응찰이 안 된 품목이 많아 방위사업 수행에 지장이 많다는 사실에 착안하여 이를 조달하는 방안을 놓고 방위사업청과 수차 협의 끝에 수입협회가 해외로부터 무응찰품목을 Sourcing하여 육해공군에 납품 후 일정비율의 수수료를 받기로 2011년 7월 13일 방위사업청과 MOU를 체결하였다.

주지하는 바와 같이 방위사업 관련한 부문은 말도 많고 탈도 많아서 관계되는 기관 모두가 조심스럽기는 매한가지였다. 여기에는 여러 가지

경로를 통하여 정부 당국의 협조를 얻어낸 18대 이주태 회장과 자문단 신태용 의장이 기여한 바가 크다.

우리 군으로서는 국방장비 유지보수에 필수적인 수리부속품 중 꼭 필요하면서도 해외업체가 방사청 계약조건을 수용할 수 없다든가 소량소액품목이라서 또는 도태되었거나 MOQ 조건을 충족하기 어려운 사유 등으로 인하여 획득할 수 없어서 국방장비 가동률이 떨어지고 그 결과 국방력 손실로 이어지는 골칫거리였다. 실제로 특수제원의 볼트와 너트 하나만으로도 전투기를 비롯한 중요 장비의 가동이 불가능해 돌려막기로 임시 대처하는 경우도 비일비재하였다. 또한 특정업체가 맡는다면 특혜시비 등의 문제에서 벗어나기 곤란하나 수입업체들의 단체이기 때문에 공정성 문제에서 자유로울 수 있었다. 게다가 이런 품목은 회원사들도 포기한 품목이기 때문에 회원사와 수입협회간에 이해의 충돌도 생길 일이 없었다. 수요로 하는 일선 군부대는 물론 수입협회나 방위사업청이나 모두가 윈윈하는 콜라보 사업이 생겨난 것이다.

다만 사업의 특성상 공급자가 갑의 위치에 서는 경우가 많고 우리나라의 방위사업청 관련 규정에 대한 공급자의 이해도가 낮은데다가 계약을 맺고서도 공급선 파악 및 협상을 거치고 납품과 검수 후 대금이 지급되어야 수입이 들어오는 관계로, 사업을 시작하고서 자금회수에 상당한 시간이 걸리는 것이 어려움이었다.

실제로 이 사업에 착수하고서 가장 먼저 발주한 품목은 해군기지에

계약을 맺고서도 공급선 파악 및 협상을 거치고 납품과 검수 후 대금이 지급되어야 수입이 들어오는 관계로, 사업을 시작하고서 자금회수에 상당한 시간이 걸리는 것이 어려움이었다.

서 적 잠수함의 접근을 탐지하는 Active Sonar Underwater Unit이었는데, 2011년 말 캐나다의 모회사와 납품계약을 맺었으나 실제 선적이 이루어진 것은 계약서상의 날짜보다 5개월이나 늦은 2013년 5월이었다. 그나마 우리나라 방위사업청의 까다로운 조건에 익숙하지 않은 제작사의 협조를 얻기 위해 2회나 출장을 가서 독려와 부탁을 아끼지 않은 안종남 부회장의 노고가 있었기에 그나마 약간의 지체상금을 물고 원만하게 해결할 수 있었다. 그러나 경험이 쌓이고 신뢰관계가 형성되면서 사업도 본궤도에 올라 지난 2013년 첫 수익이 발생했고, 현재까지 지속적인 성과를 내고 있다.

2016년부터는 일반 입찰 및 전자협상에도 참여해 사업영역을 확대시켜 나가는 중이다. 앞으로도 국가방위에도 기여하면서 우리 협회의 재정에도 도움이 되는 이 사업을 꾸준히 발전시켜나가기를 바라고 있다.

Argentina - Korea : a positive experience

H.E. Alfredo Carlos BASCOU

Ambassador of Argentina

As the Embassy of the Republic of Argentina in the Republic of Korea we try our best to nourish and expand the ties between both countries. In this challenging task is key to have reliable and strategic partners such as KOIMA.

We have been working together for a significant period of time and as a result of our constant efforts and meetings we managed to come up with great ideas and activities that were both interesting and meaningful. Probably the most ambitious one was the preparation of a Commercial

I personally believe that under the most difficult situations is when we show our true character and luckily for us KOIMA prove to be up to the expectations.

Mission that should have taken place here in Seoul during 2020 where dozens companies would have the opportunity to meet potential partners to expand their business and to contribute to the enrichment of the relationship between our countries. Due to the COVID-19 pandemic that is still affecting us worldwide so deeply, our Commercial Mission was under serious threat. Not allowing ourselves to being stopped by this terrible context, the Embassy and KOIMA immediately started to look for alternatives to achieve our common goal: to have a Commercial Mission in 2020.

I personally believe that under the most difficult situations is when we show our true character and luckily for us KOIMA prove to be up to the expectations. We quickly agree to reshape the Commercial Mission into a virtual one that allowed us to connect companies for both countries in a stimulant environment, which successfully took place last September

10th when almost 20 companies had the opportunity to meet and discuss common interest and hopefully begin a productive and long lasting partnership.

None of this could have happened without the commitment and professionalism of KOIMA. Their enthusiasm and innovative approach to cope with all the adversities we found along the way were crucial for the success of the Commercial Mission.

I would like to congratulate KOIMA for their first 50 years of life knowing that the best is yet to come.

Korean spirit of “fighting”

H.E. Ramzi TEYMUROV

Ambassador of Azerbaijan

Luckily, Korea was not a Pandora’s Box for me when I was assigned to serve in this country. I participated in the KOICA training program two years before my assignment as a diplomat that covered the Korean experience of governance.

It was inspiring to learn how Korea transformed from the ashes of the Korean War into an advanced developed country, and also interesting to study the Korean short-term history of development that shows how a country without any resources can develop from 150$ GDP per-capita in the 1960s to over 20,000$ per-capita in 2012 is nowadays passed 30,000$. What was the main driving force or forces behind a tremendous achievement, and how did this transformation happen, were the key questions that I intended to elucidate myself during 18 days-long intensive training?

There were many theoretic answers to those questions. These comprise the geopolitical circumstances surrounding the Korean peninsula, and the policies carried out by President Park Chung-hee, as well as many other economic and societal realities. But it was more apparent that the Korean success story was primarily related to human power and the spirit of "fighting."

My conclusion is based on some well known historical events, such as Korean women cutting and selling their hairs in the 1960s or SaemaulUndong movement. The human hair wigs industry was Korea's "bread" following the Korean War since the country had a limited number of products and no raw materials to export. Korean mothers and young ladies raised their hairs, cut, and sell to wigs making factories. Guro district, which is locating in the southwest of Seoul and nowadays popular with its IT companies, was the first industrial complex of Korea, where wig factories located in the 1960s and wig was the third-largest export product during that period.

SaemaulUndong movement was yet another initiative that demonstrated the fighting spirit of Korean people against the challenges. The said initiative was a volunteer-based and community-driven development program in the 1970s that contributed to improving rural communities' lifestyles through agricultural production, construction of infrastructures, and overall development of rural community life.

Above mentioned samples were exciting to study for me to discover the hard worker, sacrificed, and communitarian approach of Korean society towards fighting against the challenges. I believe communitarian response by Korean individuals in the 1960s was essential for handling the difficulties since Korea was an aid-dependent country and had a limited number of well-educated human powers. However, that communitarian and determined approach of fighting against the challenges transformed into individuals' lifestyles in later stages when Korea became one of the fastest-growing economies in the 1980s. The growth of the economy caused the differentiation of incomes, which led to rising of competitiveness among the people and families for better living standards.

I must acknowledge that learning the Korean expression of "fighting" gave me some advantages in the early days of my diplomatic life in Korea.

Therefore, for Korean people, "fighting" is not the word that means physical confrontation, but also the way of success and achievement in their own lives and their prosperity. Fighting means competitiveness for Korean people, and the competitive race is a never-end story regardless of the status of the person or family. Though, in the last few years, I heard from old generation Koreans complaining about the lack of the spirit of competitiveness among the new generation, since they argue that the change is related with high living standards and comfort, and not experiencing the difficulties that old generation faced in the 1960s. However, compared to other highly developed countries, Korean people are still in a relatively high competitive mood that includes the young generation as well. Thus, I firmly believe that ordinary Korean people and the politics and business community are still considering competitiveness to be the main driving force for the best future of themselves and their country.

"SKY Castle" series would be a perfect guideline for those who would like to learn more about Korean people's competitiveness even among families that belong to high society. The central theme of the series is the demonstration of the competitiveness among high-income families, especially among the mothers regarding their kids' access to one of the top three Korean Universities, namely Seoul National, Korea, and Yonsei – SKY. Although there are also some criticisms in Korea regarding the family pressures on students and the massive volume of study hours for high school students, it is yet the existing reality in Korea that families want their next-generation to be more successful in their future life such as graduating from top Korean or American universities. As a father of two boys, I am not against parents' pressure over their kids regarding hard study for a better future; however, I consider extensive pressure may cause more problems rather than benefits. Thus, I am in favor of the Golden Mean.

I must acknowledge that learning the Korean expression of "fighting" gave me some advantages in the early days of my diplomatic life in Korea. Thanks to that experience, I felt very comfortable showing my fist and shouting for "fighting" when Korean photographers asked my colleagues and me to do so. Meanwhile, I observed some of my newly arrived colleagues hesitated to show their fists and shout for "fighting" since diplomacy is the soft power that aimed to resolve the confrontations through dialogue and negotiation. It is a universally accepted norm that diplomats must be peaceful, respectful, and tolerant; therefore, my colleagues and I would avoid being in an "aggressive" mood in public. However, circumstances may vary due to the complexity of understanding the social expectations that require diplomats to adjust their behaviors based on reality.

Moreover, I strongly recommend Azerbaijani diplomats and my compatriots get more acquainted with the Korean expression of "fighting" to learn how to tackle the challenges through determined efforts. I also believe that the spirit of "fighting" – not only with its original meaning - is necessary for the citizens of countries like Azerbaijan, where geopolitical confrontation and foreign invasions have always existed. Protecting and strengthening the sovereignty and territorial integrity of countries like Azerbaijan and Korea are highly dependent on their people's determination and strong will.

In conclusion, I must say that the rising protectionism and deglobalization following the Covid-19 pandemic creates new challenges for importers. However, I firmly believe that the Korean spirit of "fighting" will encourage 8,500 members of KOIMA to promote the importance of interdependency in Korea and throughout the World.

Article for KOIMA 50th Anniversary Publication

H.E. Sripriya RANGANATHAN

Ambassador of India

I landed in Seoul to commence my assignment as India's Ambassador to the Republic of Korea on a bright, sunny day in early August. Coming from Delhi, which is famed for its long, hot summers, I expected the Seoul summer to be a breeze. I soon realized that Seoul summers can give Delhi summers quite a run for their money! I also discovered with delight the cute little handheld fans with which young Korean girls keep themselves cool during summer, even while strolling in the streets or walking in the parks.

Speaking of nature – one of the joys of life in Seoul for me has been the easy access to the mountains! The proximity of the mountains to the city has allowed me to slip away for early morning hikes without interrupting my schedule at the Embassy. I've had the pleasure of companionable treks with friends, replete with photo stops, shared snacks and piping hot tea while soaking in the stunning landscape which changes with the seasons. I've marvelled at how very stylishly Korean trekkers are attired - colour coordinated sports shirts and pants, hiking boots, caps and walking poles too! An interesting - though unwelcome - revelation for me was the fact that pet dogs are not welcome in Korean natural parks. I've suffered the disappointment of setting off with my pet poodle in anticipation of a good, challenging trek only to be turned back at the entrance by park officials who pointed to the 'No Dogs' sign!

My family and I are die-hard vegetarians and food aficionados at the same time. One of our pleasures while travelling has always been to discover the best of local cuisine – vegetarian style! We have been able to savour the best and freshest of food – Gimbap, Bibimbap, Joomuk-bap, Pa-jeon, Dubu-jorim, Gaji-namul, Japchae, Hobakjuk, etc. We have eaten at temple food restaurants, at Michelin star restaurants and at tiny local canteens. And we love to indulge at home in our all-time favourite

In these years, I have clearly perceived the cultural and societal similarities between Koreans and Indians.

comfort food - ramen! Of course, I do have to work hard to explain our dietary needs to the restaurateurs in my broken Hangeul or through my interpreter before I turn up. But it has invariably been worth the effort as we have been able to indulge in superb food without compromising our vegetarianism. An aspect of Korean food that is especially impressive is the elegance of the presentation: each and every dish is placed before the diner with an eye to colour and impact, making it food for the eyes as well as the tongue.

As the head of a rather busy mission, it is difficult for me to make the time for leisure travel. I try to make up by squeezing in some cultural elements into my schedule for every work visit. So, apart from business meetings and interaction with officials of the cities and provinces, I have made it a practice to stop by at the Buddhist temples, museums and monuments. I have even managed to try out traditional Korean games during some of these visits! There are lots of places left on my bucket list – so far, I have only made it to Jeju-do, Sokcho, Busan, Ulsan, Pyeong-chang, Nami-seom, Daegu, Gimhae, Miryang, Gwangju, DMZ. There is so much more to do once the COVID19 situation eases.

It is now two years since I came to your beautiful country, two years in which I have worked, travelled, made strong friendships. It has been a time of exploration and of discovery. It has also been a time of satisfaction and of vexation: satisfaction at the strong fundamentals of the India-ROK relationship, vexation that we have not capitalized fully on these fundamentals. I have been working with organisations like KOIMA to bridge this gap between potential and reality.

In these years, I have clearly perceived the cultural and societal similarities between Koreans and Indians. We are both heavily focused on education as a means of advancement, have a good work ethic, and have strong moorings in family. We both have a traditional preference for understatement, though that trend is changing in the very young. We both have a strong cultural and civilizational identity, an identity that manifests itself most visibly in the vibrancy of our respective film traditions. Although at varying stages of economic development – ROK is a developed economy, India is a developing one – I can see clearly the tremendous scope for collaborations and partnerships between Indian and Korean businesses.

We have a rich history of partnership, camaraderie and trust:- Our freedom fighters knew of and respected each other. India supported the Korean people during the tragic Korean War by dispatching a medical mission and through its chairmanship of the Neutral Nations Repatriation Commission. The mature role played by the Custodian Forces India in handling the ticklish POWs issue helped bring about the armistice in 1953. Over the past two decades, we have taken steps to foster our commercial ties, to build up our strategic ties, to craft a true 'Special Strategic Partnership'.

Our strengths can be harnessed to help each other: India's wealth of human resource can serve Korean needs as you grapple with a dwindling population. Korea's capital can find profitable avenues in India's infrastructure projects. Our scientists and researchers can share their knowledge and ideas to innovate and find solutions to pressing problems of today. Who knows – maybe the next COVID19 breakthrough will be born of Indo-Korean partnership!

At this juncture, as the India-ROK bilateral economic and commercial relationship gathers momentum and people to people ties grow rapidly, the role of the Korea Importers Association (KOIMA) becomes ever more important. It is already playing a useful role in connecting Indian exporters and Korean importers and allowing information exchange between them on necessary products and services. I extend my heartiest congratulations to KOIMA on its 50th anniversary and extend my best wishes for its even greater success and influence in the time to come.

On FTA between Cambodia and Korea to commemorate the 50th Anniversary of KOIMA

H.E. LONG Dimanche

Ambassador of Cambodia

First of all, I, on behalf of the Royal Embassy of Cambodia and on my own behalf, would like to take this auspicious occasion of the 50th Anniversary of Korea Import Association (KOIMA) to express my sincere congratulation and all the best wishes and success for expanding the business opportunity to the world. It's my great honor and pleasure to share my own ideas on Free Trade Agreement between Cambodia and Korea as the present to this celebration.

The Kingdom of Cambodia and The Republic of Korea (ROK) resumed *the FTA negotiation committee between two countries has been established and the envisioned trade deal, including rules of origin; economic cooperation; general principles*

its diplomatic relation on 30 October 1997 and this year marks 23 years of the diplomatic relation. I noted with satisfaction that relationship between our two countries in recent years have progressed significantly and moving forward on a positive direction. A speedy increase of cooperation across a wide spectrum of sectors has brought us even closer together, exchanging visit between both legislative and executive institutions and providing many tangible benefits for the two people.

The High Economic growth in Cambodia is one crucial component of peace and stability in the country. This Rectangular Strategy, currently Phase IV, has been successful and has contributed to reducing the poverty rate from 53.2% in 2004 to only 12.9% in the year 2018, along with a sustained economic growth at an average rate of 7% yearly in the last decade. The government's ability to maintain security, political stability and social order and its ongoing effort to develop infrastructure help ensure high annual rate of growth. Cambodia's economy has diversified over the years and still has much room for expansion. In addition, the establishment of ASEAN Economic Community and regional comprehensive partnership has provided a great opportunity for Cambodia to develop its industrial sector, manufacturing sector and many more through enhanced regional linkages and economy of scale.

The ROK, one among other developed countries, has been assisting Cambodia in many key areas such as education, ICT, health, rural development, agriculture, infrastructure, water resources, civil aviation, and security market. In term of economic cooperation, ROK is a main trading partner of Cambodia, the 58th largest export destination for Asia's fourth largest economy by gross domestic product (GDP), with our two-way trade recorded at more than $1 billion in 2019 (increased 6% from 2018), the exported to South Korea amounted $335 million and Cambodia imported goods from the country value at $696 million. Cambodia's main exports to South Korea mostly comprised of clothes, shoes, travel goods products, beverage, and components for electronic equipment, rubber, medical and agricultural products.

Meanwhile, the kingdom's mainly imports from South Korea included vehicles, electronic equipment and home appliances, medical, plastic and cosmetic products.

This is an imbalance trade volume, of course it will not be speedy increased without good diplomatic relations between the two countries. Following the New Southern Policy of President Moon Jae-in which has been created for seeking peace, prosperity and harmony for the people as well as for enhancing the economic cooperation and people-to-people exchange between Korean and Southeast Asia countries, The ROK and Cambodia signed a join feasibility study on Free Trade Agreement last November 2019 in Busan city, was carried out from November to May, in a move to forge a deeper economic ties and expand trade exchange.

FTA is deemed to be a crucial trade mechanism, which will help South Korean firms to penetrate deeper into the Southeast Asia nation with prominent growth potential, while also allowing Cambodia a new potential market for its exports.

Right after the agreement of feasibility study, the FTA negotiation committee between two countries has been established and the envisioned trade deal, including rules of origin; economic cooperation; general principles; and opening up the commodity market; have been discussed and approved by both parties. As the result the fourth round discussion, 235 among 723 trade items has been approved but there are more items to be negotiated to gear up to 50% of the proposal of each countries. In the meant time, the ongoing negotiation on market access, which aims to reduce tariff and non-tariff barriers, is still a challenge which is required higher level discussion.

I am firmly confident that, with our continuous joint efforts, the good bilateral friendship and cooperation will be further advanced for the mutual interests of our two countries and people. Along with the New Southern Policy initiated by President MOON, Cambodia stands ready and look forward to further consolidate the cooperation between ASEAN and Korea in order to bring mutual benefits for both ASEAN and Korea.

For 50th Anniversary of Korea Importers Association (KOIMA)

H.E. Datuk Mohd Ashri MUDA

Ambassador of Malaysia

I was delighted when the news broke at the end of 2018 that I was going to the Republic of Korea (ROK) as the new Malaysian Ambassador. The ROK for many Malaysians is a destination with many attractions including K-Drama and K-Pop. Much of the popularity can be attributed to the successful promotion of the country through various platforms including K-Wave dramas, movies and songs.

But the only K-Drama that I watched before was the popular "Winter Sonata" shown on Malaysian TV in the early 2000s. I had never really ventured into this incredibly gorgeous country until I arrived in Seoul in early February 2019. The closest I had been was just transiting at Incheon Airport on my way to Ulan Bator in June 2003.

I had arrived in Seoul in early February 2019 to take the post as the Ambassador of Malaysia. The first time I was picked up from Incheon Airport, I remember being amazed by all the highways and bridges across Han River while on my way to the Official Residence in Hannam.

My driver told me that there were 33 bridges altogether in Seoul alone. A remarkable number for a city with a population of 10 million or so. It is no wonder the level of development on both sides of the river were almost equal with Gangnam District, the third largest district out of 25 local government districts of the Seoul Municipality, located south of downtown. It is now the most sought-after address with the most expensive property prices in Seoul. Per capita income for the country was more than US$ 30,000, but the cost of living was about 3 times more than Malaysia. So that was the first impression for me for the ROK.

As an Ambassador here, besides safeguarding national interests, my other important duty is to further strengthen the bilateral relations between

the two friendly nations Malaysia and the ROK which include economic and trade affairs. The two nations established diplomatic ties in February 1960 with this year marking their 60th Anniversary. 2019 was a busy year for me and the Embassy of Malaysia in Seoul.

Many programs and events were held in 2019 leading to the 3rd ASEAN-Korea Commemorative Summit held in Busan at the end of November 2019. The Prime Minister of Malaysia also made an official visit after the Summit and met President Moon Jae-in at the Blue House on 28 November 2019. Both leaders also met when President Moon made a State Visit to Malaysia in March 2019.

We strongly believe that through togetherness, we will be stronger and can overcome an unprecedented environment in the post-pandemic era.

As an outcome of the meetings, both sides agreed to fortify mutually beneficial bonds and continue implementing the consensus laid out by the leaders in the form of a joint response to the fourth industrial revolution. The ranges of sectors that the both countries looked to improve were ICT, healthcare and medical science, water and sewerage management. The countries also discussed establishing a digital government system. Combining the ROK's New Southern Policy with Malaysia's Look East Policy would have a synergistic effect on policy cooperation.

Trade relations between Malaysia and the ROK are getting stronger from year to year. Total bilateral trade in 2019 was valued at US$ 18.12 billion, with ROK's exports to Malaysia amounting to US$ 8.84 billion and ROK's imports from Malaysia registering US$ 9.28 billion. Malaysia was ranked as ROK's 13th largest trading partner, 10th largest export destination and 12th import source in 2019. The top three products the ROK exported to Malaysia in 2019 are petroleum products, electronic integrated circuits and synthetic rubber latex. The top three products the ROK imported from Malaysia are liquefied natural gas, electronic integrated circuits and petroleum products (bunker-C oil).

Despite global recession and a drop in the ROK's global trade activities caused by the pandemic throughout 2020, the ROK's exports to Malaysia still managed to increase 3.2% on the year-on-year basis during the nine months of this year. Unfortunately, imports from Malaysia decreased 2.5% on year, with its major trading products being unchanged from last year. However, the opportunity to expand bilateral trade especially in imports from Malaysia is still there.

Malaysia also highly appreciates the efforts of ROK in promoting their trade and economic relations with ASEAN member countries in ways such as hosting Korea-ASEAN & India Business Week 2020 held on 13-14 October 2020. We strongly believe that through togetherness, we will be stronger and can overcome an unprecedented environment in the post-pandemic era.

As a resource-rich country, Malaysia is rife with mineral resources such as oil and gas, having 4 billion barrels of crude petroleum and 2.4 trillion cubic meters of natural gas. It is also the world's second largest producer of palm oil. Malaysia's economy which grew 4.9% in 2019, is driven by the manufacturing sector which accounts for 23.0% of the total GDP. The electrical and electronics industry is the leading sector and is the largest contributor to Malaysian exports, accounting for 39.1% of Malaysia's total exports. Malaysia contributed over 10% of the world's assembly, packaging and test production market, being the second largest exporters of photosensitive semiconductor devices globally in 2019.

Malaysia is the world's largest producer of medical gloves, and is an exporter of high-quality furniture and building materials based on its extensive natural resources. Other than that Malaysia also thrives in the service industry in areas such as ICT services, logistics, engineering and creative multimedia contents.

I will end my tour in the ROK in early December 2020. Even-though, the tour will be less than two years, I think my presence here in the ROK was enjoyable and meaningful in strengthening further the relations between our two nations in all sectors. However, there is ample room for improvement with this forward-looking country as there is plenty of potential in other unexplored territories between Malaysia and the ROK. I also would like to take this opportunity to congratulate the Korea Importers

Association (KOIMA) for its 50th Anniversary and thank you very much for the opportunities extended to us in promoting trade between Malaysia and the Republic of Korea.

한국수입협회 창립 50주년을 맞이하여 충심으로 회원 여러분과 함께 축하해 마지않습니다.

지난 반세기 기나긴 세월을 달려오는 동안 회원 여러분의 숨은 노고에 진심으로 감사의 말씀을 올립니다. 아시다시피 우리나라는 부존자원이 전무한 가난한 나라였습니다. 그러나 지난날 눈물겨운 반백의 순간순간 하루하루를 허리띠 조여 매고 달려왔습니다. 급기야 무역 1조 달러의 고지에 올라왔습니다. 얼마나 가슴 벅찬 승전보입니까? 뿐만 아니라 글로벌 세계 속에서 10위권 속의 태극마크는 얼리버드의 개척정신이 내재돼있었기 때문이라 확신합니다.

동전의 앞뒤와 같이 수입 없는 수출은 있을 수가 없습니다.

자고로 보릿고개를 7전 8기의 오뚝이 정신으로 이겨왔고 오대양 육대주를 무역일꾼으로 누벼왔기 때문입니다. 낯선 이국 땅 뒷골목에서 사경을 헤매면서도 수출용 원부자재를 찾아내어 1달러라도 더 많이 수출하려는 나라사랑의 갸륵한 마음이 있었기 때문입니다.

기록만이 역사라고 합니다. 수입의 날 오십돌 잔치를 맞이하여 지난날 무역 현장에서 있었던 이런 저런 이야기를 묶어 수필집을 상재하기로 했습니다. 무역 일념으로 살아온 우리들이 글쓰기는 너무도 생소한 일입니다. 그러나 이 기쁜 날 어찌 자녀손에게라도 아비로서, 어미로서 희로애락의 발자취를 남기지 않겠습니까.

주한 각국 대사님께도 감사의 인사를 올립니다. 세계 여러 나라에서 양질의 원부자재를 저렴한 가격으로, 보다 빠른 선적으로 수출해 주지 않았던들 오늘의 기쁨은 없었을 것입니다.

끝으로, 지난 몇 달 동안 오늘의 산문집이 나오기까지 수고하신 한영상 편찬부위원장을 비롯한 편찬위원 여러분과 출판사 관계자 여러분, 그리고 협회 임직원 여러분께도 인사드립니다. 무엇보다도 에세이집을 내도록 결단하신 홍광희 회장님께 심심한 감사의 말씀을 올립니다.

편찬위원장

성원교역㈜ 회장 **김 창 송**

1달러에 영혼을 담아!

글로벌 무역현장에서 전하는 비즈니스 에세이

발행일 : 2020년 11월 14일 초판 1쇄 인쇄
2021년 2월 19일 초판 2쇄 인쇄

발 행 인 | 홍광희
발 행 처 | (사)한국수입협회
기 획 | (사)한국수입협회 편찬위원회
김창송, 한영상, 박인대, 임성락, 박연수, 장인수, 박우진
주 소 | 서울시 서초구 방배로 169, 한국수입협회빌딩 5층
전화 : 02-583-1234 팩스 : 02-798-5461 홈페이지 : www.koima.or.kr

편집/인쇄 | ㈜남강기획출판부 02-2278-0677

가격 : 15,000원

ISBN : 979-11-960975-2-3